la Scala

ANDREA CAMILLERI

Esercizi di memoria

Rizzoli

ISBN 978-88-17-09691-1

Prima edizione: settembre 2017

Esercizi di memoria

Con illustrazioni di
Alessandro Gottardo, Gipi, Lorenzo Mattotti,
Guido Scarabottolo e Olimpia Zagnoli

A Silvia, mia nipote

Questo libro nasce appunto come un esercizio, una sorta di compito per le vacanze.

Nell'estate del 2016, infatti, in prossimità dei miei 91 anni, mi sono portato il lavoro sul Monte Amiata dove da sempre passo le mie ferie agostane. Non potendo dettare in vigatese, allora la gentile Isabella Dessalvi si è prestata a venire ogni mattina a scrivere i miei ricordi.

Ora io non avevo messo in conto la pubblicazione del libro, non perché non mi piacessero i racconti, ma perché avendo una certa età, avendo da poco festeggiato il centesimo libro, essendo ormai cieco (e quindi come fa a scrivere?) e ricevendo quindi ogni giorno accuse di assoldare dei "negri" che scrivono al posto mio, mi ero proposto di lasciarlo nel cassetto e buonanotte.

Poi mi è stato suggerito di provarne a fare un libro

diverso: perché non chiedere a sei tra i più apprezzati illustratori italiani, di differenti generazioni, di contribuire con un disegno che potesse rappresentare il "sentimento" del mio libro? Vi chiederete: e perché mai, essendo appunto diventato cieco, l'idea di avere delle illustrazioni che non avrei mai potuto vedere mi ha convinto a pubblicare i miei esercizi? Perché io ho sempre amato l'arte, perché io quando non ne posso più del buio nel quale sono costretto, mi ristoro nel ricordarmi pennellata dopo pennellata l'immagine dei quadri che ho più amato e così nella mia mente tornano i colori. E allora, anche se non li vedo, mi sono fatto raccontare nei minimi particolari le illustrazioni dei miei compagni di libro, me le sono ricostruite nella mia immaginazione e, lo confesso, mi sono piaciute assai. Quindi grazie a Gipi, Alessandro Gottardo, Lorenzo Mattotti, Guido Scarabottolo e Olimpia Zagnoli. Un ringraziamento particolare a Tullio Pericoli per la copertina.

a c

Le ceneri di Pirandello

Piccola premessa necessaria. Quando nel dicembre del 1936 Luigi Pirandello morì nella sua casa romana, i familiari rinvennero in un cassetto un foglio con poche righe autografe: erano le sue ultime volontà. Pirandello desiderava che il suo corpo venisse cremato e che le sue ceneri fossero portate ad Agrigento, in contrada Caos. Qui egli possedeva un piccolo appezzamento dove sorgeva la sua casa natale vicino a un grande pino su una collina a strapiombo sul mare. Voleva che le sue ceneri fossero sepolte tra le radici del pino o, se non fosse stato possibile, disperse nel "gran mare africano". Nel caso non potesse essere cremato (a quei tempi la Chiesa era fortemente ostile a tale pratica) chiedeva che il funerale avvenisse con una carrozza di terza classe, che nessuno, se non i familiari, seguisse il feretro e che infine fosse inumato avvolto in un lenzuolo direttamente nella terra nuda.

Quando un alto gerarca fascista lesse quel foglietto illividì. Era l'epoca nella quale moltissimi intellettuali chiedevano di essere sepolti indossando la camicia nera fascista.

«Se ne è andato sbattendoci la porta in faccia» mormorò il gerarca.

Aveva torto e ragione nello stesso tempo. Pirandello se ne era andato sbattendo la porta in faccia non al fascismo, bensì alla Vita stessa. Superate infinite difficoltà i figli ottennero la cremazione, le ceneri furono messe dentro una preziosa anfora greca che da tempo immemorabile si trovava in casa Pirandello e che poi venne depositata presso il cimitero del Verano. Fine della premessa.

Nel 1942 cinque liceali agrigentini, Gaspare, Luigi, Carmelo, Mimmo ed io, chiedemmo udienza al Federale fascista di allora, un uomo rude e sbrigativo. Ci presentammo indossando la divisa, facemmo il saluto romano e restammo davanti alla sua scrivania impalati sull'attenti. Il Federale rispose sbrigativamente con la mano sinistra al nostro saluto perché nella destra teneva un foglio che leggeva con estrema attenzione.

Continuò a leggere per un bel po' poi depose il foglio, ci guardò e ci chiese:

«Che cosa volete?».

Per tutti parlò Gaspare.

«Camerata Federale, siamo venuti a chiedere che le ceneri di Pirandello, attualmente a Roma, siano trasportate, come da sua volontà, ad Agrigento qui da noi. Noi vogliamo che Pirandello...»

Il Federale l'interruppe dando una gran manata sul tavolo e si alzò in piedi.

«Non venitemi a parlare di Pirandello, stronzi! Pirandello era un lurido antifascista! E voi levatevi dai coglioni!»

Eseguimmo un perfetto saluto romano, girammo sui tacchi e uscimmo scornati e avviliti.

Nel 1945 l'Italia venne liberata dal fascismo, gli stessi cinque, ormai studenti universitari, ci presentammo, questa volta in borghese, al Prefetto di Agrigento che ci accolse benevolmente.

«Cosa posso fare per voi, cari ragazzi?»

Fu sempre Gaspare a parlare.

«Signor Prefetto, noi vorremmo che le ceneri di Pirandello, attualmente a Roma, fossero trasportate ad Agrigento per...»

«Eh no» l'interruppe il Prefetto, «non se ne parla neppure!»

«Perché?» osai chiedere io.

«Perché, mio caro ragazzo, Pirandello è stato un convinto fascista, non se ne parla neppure.»

Strinse la mano a tutti e ci congedò.

Il bello è che avevano ragione tanto il Federale quanto il Prefetto, infatti i rapporti di Pirandello col fascismo erano stati almeno altalenanti.

Nel 1924, subito dopo il delitto Matteotti, egli aveva chiesto a Mussolini di concedergli la tessera del Partito Fascista, e il suo gesto controcorrente suscitò lo sdegno di molti antifascisti ma, quattro anni dopo, Pirandello ebbe una violenta discussione col Segretario Nazionale del Partito, al termine della quale egli stracciò la tessera fascista buttandogliela sulla scrivania. Non pago di ciò si strappò il distintivo dall'occhiello, lo gettò per terra e lo calpestò. Qualche anno appresso non disdegnò che il fascismo lo nominasse Accademico d'Italia ma già poco dopo andava in giro sparlando di Mussolini e definendolo «un uomo volgare». Quando nel 1934 ricevette il premio Nobel, Mussolini non gli mandò nemmeno un telegramma di congratulazioni, ormai i rapporti tra i due parevano del tutto interrotti senonché, nel 1935, Pirandello in un discorso celebrativo per l'impresa etiopica non esitò a definire Mussolini «un poeta della politica». L'anno seguente era tornato di nuovo ad essere antifascista.

Nel 1946, alle prime elezioni politiche, venne eletto come deputato tra le fila della Democrazia Cristiana un siciliano di grande valore, il professor Gaspare Ambrosini, che insegnava diritto costituzionale all'università di Roma. Le competenze di Ambrosini fecero sì che egli diventasse uno dei Padri Costituenti, decidemmo allora di scrivergli una lettera nella quale spiegavamo le nostre intenzioni, vale a dire trasportare le ceneri di Pirandello ad Agrigento ed onorare così le sue ultime volontà. Per darci importanza decidemmo di scrivere la lettera su un foglio che Gaspare aveva casualmente trovato. Il foglio era intestato "Corda Fratres – Associazione Universitaria". Apprendemmo, dopo aver spedito la lettera, che la Corda Fratres era stata un'associazione universitaria assai vicina alla massoneria e che il fascismo aveva abolito. Gaspare Ambrosini rispose immediatamente in modo positivo, ci tenne costantemente informati dei suoi progressi, nel giro di una decina di giorni riuscì a reperire l'anfora nel cimitero del Verano e a farsela consegnare superando un'infinità di ostacoli burocratici. Dopo un'altra decina di giorni ci annunziò che sarebbe arrivato a Palermo con un aereo messo a sua disposizione dall'esercito americano. Ma l'aereo non arrivò mai perché quando il pilota seppe che doveva trasportare oltre ad Ambrosini anche le ceneri di un defunto si rifiutò di decollare. Allora, il povero Ambrosini si fece confezionare una cassetta di legno dentro la quale mise l'urna proteggendola con dei fogli di giornali appallottolati e intraprese il lungo viaggio in treno di almeno due giorni da Roma a Palermo. Ci comunicò anche che appena arrivato si sarebbe fatto vivo.

Durante il viaggio ad un certo punto dovette alzarsi per andare al gabinetto, ma quando tornò non trovò più la cassetta: era scomparsa. Disperato si mise a cercare per tutti gli scompartimenti sovraffollati e finalmente trovò tre individui che tenendo la cassetta sul pavimento giocavano a tresette col morto, se la fece riconsegnare e da allora in poi se la tenne stretta sulle gambe. Noi, intanto, eravamo andati a parlare col direttore del Museo Civico, il quale si dichiarò disponibile ad ospitare l'urna con le ceneri fino a quando non fossero state esperite le pratiche per la sepoltura sotto il pino. Tutta questa faccenda era stata organizzata da noi senza aver chiesto nulla né al sindaco di Agrigento né ad altri rappresentanti istituzionali e senza aver dato diffusione della notizia dell'arrivo delle ceneri. Ciononostante la mattina in cui la littorina speciale, che Ambrosini aveva richiesto a Palermo, arrivò il grande piazzale della stazione era letteralmente gremito.

Secondo le nostre intenzioni il corteo dalla stazione fino al Museo doveva essere formato da Mimmo e Carmelo in testa seguiti da me e Gaspare che reggevamo l'anfora tenendola ognuno per un manico, dietro poteva accodarsi chi voleva. Ambrosini ci aspettava dentro la littorina. Mentre stavo per raggiungerlo con gli altri venni fermato dal Commissario di Pubblica Sicurezza che mi disse:

«Questo corteo non si può fare, sua Eccellenza il Vescovo ha telefonato furibondo al Questore e fin quando io non avrò via libera voi non potrete muovervi».

Conoscevo il Vescovo Giovanni Battista Peruzzo e perciò mi precipitai da lui. Discutemmo per un po' ma egli era irremovibile. Fino a quando però non feci una bella pensata.

«E se mettessimo l'urna dentro una normale cassa da morto?»

«Allora in tal caso non avrei nulla in contrario» rispose il Vescovo.

Mi precipitai da un fabbricante di casse da morto.

«Ho bisogno di aver affittata una cassa» dissi.

Mi guardò molto perplesso.

«Ma le casse da morto non si affittano.»

Io gli spiegai di cosa si trattava e allora lui mi disse di avere a disposizione solo una cassa da morto per bambini. Me la fece vedere. A occhio stimai che l'anfora dentro ci stava comodamente. Mi accompagnò alla stazione con un camioncino che trasportava la bara. Dentro la littorina aprimmo la cassa di legno, l'anfora era intatta, e la trasferimmo nella piccola bara. Così il corteo poté arrivare finalmente al Museo.

Lì l'anfora rimase per anni e anni, dimenticata.

Poi un nuovo comitato decise di bandire un concorso nazionale per un monumento funebre che doveva sorgere ai piedi del pino. Il concorso venne vinto dallo scultore Marino Mazzacurati, il quale fece un'opera bellissima limitandosi a prendere un grosso masso che c'era nelle vicinanze e a dargli qualche scalpellata di aggiustamento. Sul davanti del masso mise due piccole maschere in bronzo, quella tragica e quella comica, il nome di Luigi Pirandello e le date di nascita e di morte. Nel retro scavò una profonda buca dentro la quale infilò un grosso cilindro di rame con coperchio. Con una cerimonia solenne le ceneri dall'anfora vennero versate dentro il cilindro, la buca venne chiusa con una pietra a sua volta cementata.

La faccenda pareva terminata da un pezzo quando, una decina di anni dopo, un custode del Museo si accorse che dentro l'anfora greca c'erano ancora delle ceneri appiccicate nelle curvature interne all'altezza dei manici.

Che fare? Il direttore del Museo, Zirretta, decise che questi residui dovevano essere messi dentro il cilindro che stava nella tomba, allora si recò al Caos seguito da un capomastro e da un custode. Il capomastro tolse il cemento levò la pietra e tirò fuori il cilindro. Intanto Zirretta aveva steso per terra un foglio di giornale tenuto fermo da quattro sassi e sopra vi aveva fatto cadere i residui delle ceneri raschiando l'interno dell'anfora con un rametto d'albero. Aperto il coperchio tutti si resero conto che il cilindro era colmo fino all'orlo, non c'era assolutamente posto per quel pugno di ceneri. Il cilindro venne rimesso al suo posto, la pietra pure e il capomastro la cementò. Non restava che disperdere il resto delle ceneri in mare. Zirretta levò le pietre, prese con le due mani il foglio e camminò fino al ciglio della collinetta. Qui pensò che era necessario pronunciare qualche parola rituale, aprì la bocca e cominciò:

«O gran mare africano».

E qui un'improvvisa folata di vento gli mandò a sbattere in faccia il foglio. Una parte delle ceneri andò a finire in bocca a Zirretta, il resto sui suoi vestiti. A Zirretta non restò altro da fare che sputacchiare e scrollarsele di dosso.

E stavolta finalmente le ceneri di Pirandello raggiunsero la pace eterna.

Vincenzo Cardarelli

Quando frequentavo come allievo regista l'Accademia Nazionale d'Arte Drammatica a Roma negli anni 1949-1950, per un certo periodo andai ad abitare in un grande appartamento nei pressi di piazzale Flaminio assieme a tre amici che sarebbero diventati famosi: il regista Mario Ferrero, il commediografo e regista Giuseppe Patroni Griffi e Bill Weaver che si esercitava nelle prime traduzioni dall'italiano all'inglese. Verso sera convenivano altri futuri famosi come il regista Francesco Rosi, lo scrittore Raffaele La Capria, il giovane Vittorio Gassman e tanti altri ragazzi e ragazze. Possedevamo un grammofono che mandavamo a tutto spiano e facevamo le ore piccole ballando, scherzando e ridendo. Immancabilmente verso l'una di notte squillava il campanello della porta di casa, qualcuno andava

ad aprire e si trovava davanti al poeta Vincenzo Cardarelli, in pigiama, che abitava al piano di sotto e che non
riusciva a prendere sonno per il chiasso che noi facevamo. Una sera Mario Ferrero lo invitò a unirsi a noi, ina-
spettatamente egli accettò si sedette su una sedia in un
angolo dello stanzone e si mise a osservarci con occhi
sprezzanti. Dopo una mezz'oretta ci chiese una coperta, tremava dal freddo, e dire che era una serata caldis-
sima, ci si avvolse e si sedette di nuovo senza cambiare
espressione. Dopo un po' si alzò e parlò a voce alta:

«Posso dire una cosa?».

«Certamente, Maestro» rispondemmo.

«Siete giovani di merda» fece con aria solenne e si
avviò alla porta sempre avvolto nella coperta.

Da quel momento in poi non salì più a protestare.
Un giorno che lo incontrai per le scale mi disse che si
era munito di batuffoli di cotone e cera molle che si
infilava nelle orecchie e con questo espediente riusciva
a prendere sonno.

Cardarelli non aveva un carattere facile. Quando
per esempio a Roma si seppe che Alessandro Pavolini,
segretario del Partito fascista repubblicano, era stato
ucciso dai partigiani egli, incontrando il figlio del fratello di Pavolini gli disse:

«Di' a tuo padre che io godo delle sue presenti sventure».

Pativa il freddo anche in pieno solleone, una volta io assistetti a una scena incredibile. Stavo in piazza del Popolo davanti al Bar Luxor che poi sarebbe diventato Canova, era quasi l'una, il sole a picco, un caldo e un'afa difficili da sopportare, da Porta del Popolo vidi avanzare Cardarelli: aveva il cappello in testa, una sciarpa di lana attorno al collo, un cappotto invernale pesantissimo, i guanti e camminava come se si trovasse su lastre di ghiaccio. A quei tempi anche i grossi automezzi potevano traversare il Corso, arrivò infatti un camion che incontrò il poeta proprio in mezzo a piazza del Popolo, l'autista del camion frenò di colpo e scese. Era in mutande e chiaramente fuori di sé per la temperatura che doveva sopportare dentro la cabina di guida. Alla vista di Cardarelli, vestito in quel modo, prima diede in escandescenze, cadde in ginocchio urlando e bestemmiando, poi si alzò di colpo e si avventò sul poeta cominciando a spogliarlo. Con una manata gli fece volare via il cappello e poi prese a sbottonargli il cappotto mentre Cardarelli con voce acutissima invocava aiuto. Mi precipitai in suo soccorso con altri passanti ma fu assai difficile liberare il poeta dalla presa delle possenti braccia del camionista che ormai manifestava intenzioni omicide.

Una volta liberato non manifestò nessuna gratitudine, mi spinse da parte con un braccio e se ne andò rivestendosi di tutto punto.

Pare, ma non so se questa sia una leggenda metropolitana, che prima di morire le ultime parole del poeta siano state:

«Sento un gran caldo».

L'ingegnere "Comerdione"

L'ingegnere Paolo Afflitto, nato in un paese al centro della Sicilia, si era laureato a Palermo e per circa quarant'anni aveva lavorato in Eritrea, Somalia e Libia. Era venuto a stabilirsi nel mio paese con la moglie nel febbraio del 1939 e abitava in una casetta a un piano dalle parti di Marinella, praticamente in riva al mare. Era un uomo alto, magrissimo, occhialuto, dai modi estremamente gentili mentre la moglie era piccola e rotondetta. Dopo circa tre mesi che era arrivato si mise in società con l'ingegnere Ernesto Malinconico. Del binomio Afflitto-Malinconico nessuno si meravigliò o rise, il paese aveva già visto le nozze tra Rina Alletto e Stefano Malato mentre c'era da tempo immemorabile lo studio legale Giovanni Vedova e Andrea Allegra. Per la verità l'ingegnere Afflitto nello studio aveva funzioni da padre nobile, si limitava in sostanza a dare preziosi consigli e a mettere la sua esperienza al servizio del più giovane collega. Questo veniva a significare che da mattina a sera si vedeva l'ingegnere ciondolare da un caffè all'altro cercando d'attaccare discorso con chiunque gli venisse a tiro. Un uomo insomma tranquillo, cortese che non dava fastidio a nessuno.

Il primo incidente notevole l'ingegnere lo provocò la notte di Natale dello stesso 1939. Andato in chiesa con la moglie per la messa di mezzanotte, alla fine del rito, mentre la gente ancora indugiava, si avvicinò al parroco e gli chiese con voce sommessa:

«Mi scusi, reverendo, posso sapere di che sesso è?».

Il prete credette di non avere inteso bene.

«Non ho capito, vuole ripetere?»

«Vorrei sapere se la creatura che è nata stanotte in una grotta è maschio o femmina.»

Il prete dapprima sbalordì, poi credette trattarsi di una presa in giro, alzò la voce:

«Vada via! Non faccia lo spiritoso!».

Anche l'ingegnere si spazientì.

«Ma io volevo solo sapere.»

«Basta! Vada via... blasfemo!»

Al che l'ingegnere si portò le due mani ai lati della bocca e gridò:

«Popolo di Porto Empedocle!».

Nella chiesa di colpo si fece silenzio.

«Mi sapete dire per favore se la creatura nata stanotte è maschio o femmina?»

Il gelo calò sui presenti, tutti ebbero la precisa sensazione che l'ingegnere stesse dando, come si usa dire, i numeri. La moglie, che era quasi arrivata all'uscita della chiesa, si precipitò.

«È maschio! È maschio!» disse correndo verso il marito e abbracciandolo. Se lo trascinò fuori dalla chiesa mentre i presenti facevano ala stupiti, perplessi e un pochino spaventati.

Il secondo episodio ebbe luogo pochi mesi dopo. Allora, negli alimentari, veniva venduto un sapone semisolido che si poteva spalmare e che si teneva in una sorta di barile scoperchiato. L'ingegnere entrò nella bottega con in mano un panino già tagliato a metà e chiese un etto di quel sapone, il bottegaio lo servì e stava per ripiegare il foglio di carta oleata dentro il quale c'era il sapone quando l'ingegnere lo fermò.

«No no, non l'incarti, me lo dia così.»

Prese il sapone, lo posò sul banco, aprì il panino e

con due dita lo condì, quindi lo richiuse e cominciò a mangiarselo. Il bottegaio non credeva ai suoi occhi e la notizia che l'ingegnere si era mangiato un panino col sapone in brevissimo tempo venne a conoscenza di tutti.

Alle spalle del paese, sopra una collina di marna dove stava un vasto pianoro disabitato detto piano Lanterna, c'era solo un grande capannone che un tempo era servito come deposito di legnami. L'ingegnere se lo comprò, lo rimise in ordine e i paesani cominciarono a chiedere che cosa ne avrebbe fatto. La risposta l'ebbero poco dopo quando arrivò un camioncino stracarico di canne e soprattutto di un quintale circa di carta velina. L'ingegnere cominciò a lavorare dentro il capannone tenendone la porta chiusa ma qualcuno dei paesani andò a sbirciare dalle finestre e così si venne a sapere che l'ingegnere costruiva degli aquiloni. Nel nostro dialetto l'aquilone è chiamato "comerdione" e da quel momento in poi l'ingegnere venne soprannominato "il Comerdione".

Un giorno i paesani alzando gli occhi videro nel cielo volare un enorme comerdione, l'ingegnere aveva varato il primo prodotto del suo ingegno. Molti sfaccendati si precipitarono al piano Lanterna, effettivamente l'ingegnere aveva costruito qualcosa di mai visto prima, l'aquilone volava altissimo e lui riusciva a fargli fare degli autentici esercizi acrobatici come virate, planate e picchiate. Alla fine, quando cominciò a tirarlo giù, tra i presenti scoppiò un sincero e ammirato applauso.

«Ma ingegnere, cosa vuole fare con questi aquiloni?»

Quello assunse un'espressione circospetta.

«Lo saprete a tempo debito.»

Nel giugno del 1940 l'Italia entrò in guerra. L'ingegnere sembrò ringiovanito, ormai nel suo capannone lavorava senza sosta e un giorno i paesani stupiti lo videro lanciare verso il cielo un gigantesco aquilone guidato con due cordicelle che aveva nella parte superiore una specie di elica di celluloide.

«Ma ingegnere» ridomandò qualcuno, «che cosa ci vuole fare?»

E allora quello rivelò il suo segreto.

«Voglio costruire degli aquiloni bombardieri. Voglio distruggere Malta.»

«Ma ingegnere, lo sa che da qui a Malta ci sono più di 80 chilometri? Come fa a trovare dei fili così lunghi?»

L'ingegnere fece un sorrisetto di superiorità.

«I miei aquiloni saranno lanciati da una flottiglia

di motopescherecci che arriveranno fin sotto le coste dell'isola.

Da quel momento in poi, ogni giorno, decine di spettatori assistettero ai progressi degli aquiloni. Il problema fondamentale era che appena l'ingegnere applicava una pietra di pochi grammi sotto all'aquilone, quel piccolo peso bastava a far sì che non riuscisse nemmeno a levarsi in volo o, se ci riusciva, dopo poco la cannuccia che costituiva l'asse centrale si spezzava per il peso e l'aquilone precipitava. L'ingegnere risolvette brillantemente il problema: al posto delle cannucce che costituivano l'intelaiatura dell'aquilone egli usò delle sottili ma resistentissime e leggerissime barrette di alluminio. Non solo, ma la carta velina venne sostituita con la tela da paracadute che era sottilissima, poco pesante e molto forte.

Riuscì così a far reggere all'aquilone in volo un peso non superiore ai 50 grammi.

«Ma ingegnere, che danno vuole che faccia una bomba di 50 grammi?»

«Ma io non intendo lanciare un solo aquilone, come minimo dalla flottiglia di pescherecci se ne devono alzare un centinaio.»

Erano giorni brutti quelli, spesso il paese veniva

bombardato dagli aerei inglesi che si levavano in volo proprio da Malta, in fondo andare al piano Lanterna e assistere agli esperimenti dell'ingegnere era un modo di alleggerire la pesantezza di quel tempo.

Un giorno dell'estate del 1942 l'ingegnere proclamò ai presenti che l'indomani avrebbe fatto fare il primo volo a un aquilone capace di reggere un peso di circa 100 grammi, e infatti l'indomani i paesani assistettero al volo di un aquilone composto da due aquiloni tenuti assieme da fili sottilissimi e resistenti e distanziati l'uno dall'altro da una decina di centimetri. Effettivamente reggeva al peso. Le cose stavano a questo punto quando una mattina di settembre calarono sul paese come falchi cinque caccia inglesi che si misero a mitragliare alla disperata. La contraerea aprì il fuoco. L'ingegnere in quel momento stava facendo volare il suo aquilone doppio che era arrivato ad un'altezza incredibile, si affrettò a riavvolgere il cordino che lo teneva legato ma non fece in tempo, un caccia passò a bassissima quota quasi rasente il tetto del capannone e tranciò il cordino, senonché l'aquilone si avvolse tutto intorno all'elica del caccia e l'aereo, perso il controllo, andò a precipitare qualche chilometro più in là in aperta campagna, incendiandosi.

L'ingegnere non era riuscito a bombardare Malta
ma ad abbattere un aereo nemico. Per la gioia uscì fuori di senno completamente e dovette essere rinchiuso
nel manicomio provinciale.

Guido Scarabottolo

La sostituzione

Quando nel 1936 scoppiò la guerra di Spagna, la Società delle Nazioni, l'Onu di allora, decretò che tutte le navi che attraversavano il canale di Sicilia dirette appunto verso la Spagna venissero sottoposte a un rigoroso controllo per vedere se trasportavano armi. Era consentito infatti solo l'invio di medicinali e generi di prima necessità. Tutte le navi quindi dovevano fermarsi al largo di Porto Empedocle, qui erano stati inviati tre ufficiali di Marina di tre nazionalità diverse: un inglese, uno svedese e un polacco che saliti a bordo di un cacciatorpediniere, messo a loro disposizione dalla nostra Marina, effettuavano il controllo. Se rinvenivano armi, un altro nostro cacciatorpediniere eseguiva il sequestro dell'imbarcazione. Naturalmente il canale era sempre pattugliato, giorno e notte, dai nostri mezzi navali per evitare che qualcuno cercasse di passare inosservato. Ogni nave arrivata al punto designato segnalava alla Capitaneria di porto di essere in attesa del controllo. Allora salpava il cacciatorpediniere con a bordo i tre ufficiali, diciamo così, neutrali.

Una notte che imperversava uno spaventoso temporale la nave sovietica Krassin segnalò di essere in attesa di controllo ma il mare era così tempestoso che il comandante del cacciatorpediniere che doveva trasportare i tre ispettori ritenne impossibile l'accostamento tra le due imbarcazioni e chiese qualche ora di proroga. Il comandante della Krassin rispose che era disposto ad attendere ma che aveva un ammalato grave a bordo e quindi era necessario che un dottore venisse a visitarlo il più presto possibile magari imbarcandosi su un motopeschereccio.

Il medico designato per tali emergenze si chiamava Gino Moscato ed era un lontano cugino di mio padre, i due erano amicissimi per la pelle e io lo chiamavo zio Gino. Il dottor Moscato soffriva però talmente il mal di mare che gli bastava guardare un quadro raffigurante il mare in tempesta per dare subito di stomaco. All'idea di dover raggiungere la nave russa, letteralmente si sentì svenire. Mio padre che lavorava alla Capitaneria di porto l'esortò a non sottrarsi al suo dovere.

«Ma ti rendi conto che su quella nave» ribatté il dottore «non arriverò io ma un cadavere?»

Mio padre gli venne in aiuto.

«Possiamo telefonare al dottor Vinti e pregarlo di andare lui al posto tuo.»

Gino Moscato chiamò il collega, non parlò con lui ma con la moglie, la quale gli disse che il marito era a letto con la febbre a quaranta. Fu a questo punto che zio Gino ebbe un'idea brillante e disse a papà:

«Vacci tu al posto mio».

«Vuoi scherzare?»

«No» rispose zio Gino «tu vai lì, tasti il polso all'ammalato, assumi un'aria grave, dici che bisogna trasportarlo subito a terra, me lo riporti qui e io sarò con la mia automobile sulla banchina, lo prendiamo e lo trasferiamo all'ospedale di Agrigento.»

Papà sulle prima si rifiutò poi cedette alle suppliche di zio Gino ormai in lacrime, telefonò al comandante di un peschereccio che era suo amico e dopo una ventina di minuti salpavano verso la nave sovietica. La navigazione fu difficilissima, solo l'esperienza di quei pescatori riuscì a far arrivare il peschereccio fin sottobordo della nave sovietica ma la forza delle onde era tale che il peschereccio rischiava di fracassarsi contro la fiancata della Krassin. Finalmente ci riuscirono, mentre il peschereccio si teneva accostato più che poteva, dalla nave sovietica calarono una specie di gancio, papà si aggrappò ad esso e venne issato sulla nave. Due volte sbatté contro la fiancata e rischiò di ricadere in acqua incitato però da tutto l'equipaggio sovietico che stava a guardare la scena alla luce di un faro. Quando papà, bagnato fradicio, mise piede sul ponte venne accolto da un fragoroso applauso e si presentò al comandante.

«Sono il dottor Moscato» disse, «dov'è l'ammalato?»

Venne fatto scendere sottocoperta, curiosamente l'ammalato stava in una cabina singola vicina a quella del comandante. A prima vista papà si accorse che stava veramente male, gli mise una mano sulla fronte: scottava. Intanto qualcuno scattava fotografie, il malato lo guardava con occhi supplichevoli e allora papà disse:

«Bisogna subito portarlo all'ospedale».

I russi presero di peso l'ammalato, l'avvolsero in una coperta e lo calarono con la gru, sempre con estrema difficoltà, fino al peschereccio, qui due uomini dell'equipaggio lo presero al volo. Lo stesso fecero poco dopo con papà.

Il rientro verso il porto fu ancora più pericoloso e travagliato dell'andata. Finalmente il malato poté essere messo dentro la macchina di zio Gino, che se lo portò immediatamente all'ospedale di Agrigento. Solo all'alba il mare si placò tanto da permettere al cacciatorpediniere con i tre ispettori di raggiungere la nave sovietica.

Una settimana appresso zio Gino comunicò a papà che il malato stava assai meglio: aveva chiesto informazioni ai colleghi dell'ospedale, lui non si era fatto vedere.

Trascorsi una quindicina di giorni papà si vide arrivare nel suo ufficio alla Capitaneria zio Gino stravolto.

«Che ti succede?»

«Una cosa terribile, nell'anticamera del mio studio c'è l'ex ammalato ormai guarito che è venuto a ringraziarmi.»

«Embè?» domandò papà.

«Ma non capisci la situazione? Se lui vede me si rende conto che io non sono la stessa persona che l'ha prelevato dalla nave.»

«E allora?»

«E allora devi venire nel mio studio entrando dalla porta posteriore, ti metti un camice bianco e lo ricevi tu.»

Papà capì subito che non c'era altro da fare, un quarto d'ora appresso col camice bianco da medico riceveva l'abbraccio riconoscente del sovietico il quale, non si capiva perché, si era portato appresso un fotografo che immortalò la scena. Dopo essersi profuso in ringraziamenti il sovietico se ne andò. Papà si liberò dal camice, zio Gino riprese il suo posto e tutto sembrò finire lì anche perché dopo una settimana la nave sovietica ripassò riprendendosi a bordo l'ex ammalato.

Trascorso un mesetto zio Gino venne convocato dal Federale fascista di Agrigento, non sapeva il motivo della chiamata, ad ogni modo indossata la divisa si presentò al suo cospetto. Questi aveva sul tavolo una copia del giornale sovietico "Pravda": in prima pagina compariva la foto dell'ex ammalato che abbracciava papà, per fortuna l'inquadratura non mostrava chiaramente il viso di mio padre.

«Camerata Moscato» esordì il Federale, «quest'articolo della "Pravda" riporta l'atto da voi compiuto per salvare la vita a un importante Commissario del Popolo sovietico mandato in missione in Spagna.»

Zio Gino a sentire queste parole impallidì, sicuramente il Federale l'avrebbe fatto punire per avere aiutato un nemico, invece la faccia del Federale si aprì in un ampio sorriso.

«Siete stato bravissimo, eroico. Vi proporrò per una medaglia al valore, così dimostriamo al mondo che noi fascisti siamo gente generosa e che sappiamo soccorrere anche il nemico. Saluto al duce!»

«A noi!» rispose zio Gino che a malapena si reggeva sulle gambe.

Zio Gino non ricevette mai la decorazione, in compenso papà pretese e ottenne che il dottor Moscato pagasse una ricca cena a lui e a una ventina di amici.

La casa di campagna

La casa di campagna dei miei nonni materni, Vincenzo ed Elvira Fragapane, l'aveva in realtà fatta costruire il mio bisnonno Giuseppe, il quale possedeva diversi appezzamenti di terreno per un totale di circa quattrocento ettari e una miniera di zolfo dalle parti di Grotte. Suo figlio aveva ben saputo sfruttare l'eredità paterna e ampliarla, infatti aveva fatto costruire una raffineria per lo zolfo e aveva aperto sul porto un grande magazzino dove faceva commercio di zolfo e di cereali prodotti nelle sue terre.

La casa di campagna era una via di mezzo tra una villa e una cascina colonica. Aveva un grande terrazzo con eleganti archi che delimitavano una veranda dove erano affiancati due tavoli da biliardo. Al piano terra immediatamente dopo il portone in legno ricoperto di ferro battuto, si apriva l'ingresso molto ampio, a sinistra c'era la porta che dava in un grande magazzino, nella parete di fronte si apriva la seconda porta che dava nelle cantine sotterranee, la terza porta invece immetteva nella scala che conduceva al piano superiore. Sempre al piano terra, nella parte destra della casa, c'erano le abitazioni per la servitù e un grande palmento che serviva per la spremitura dell'uva. Al piano di sopra c'erano un'ampia cucina, un bagno, sette camere da letto, un salone e una piccola cappella privata dove ogni domenica il prete veniva a recitar messa. A destra della casa c'erano delle costruzioni più basse, una era la carrozzeria dove il mio bisnonno teneva le sue tre carrozze e accanto la stalla con i cavalli e i muli. I tre fabbricati erano circondati da un muro alto cinque metri interrotto da un gigantesco portone anche questo in legno e ferro.

Quando ci andavo da bambino il magazzino e le cantine erano i luoghi preferiti per i miei giochi. Il magazzino conteneva grandi casse di legno foderate di zinco dentro le quali venivano conservati grano e cereali vari ma c'era soprattutto una vecchia automobile, marca SCAT (Società Ceirano Automobili Torino: dalla quale sarebbe poi nata la FIAT). Non aveva più le ruote,

stava montata su dei cavalletti, io c'entravo dentro e
passavo ore intere manovrando il volante e sognando
di essere un asso dell'automobilismo. La cantina invece era il luogo dei misteri, vasta quanto tutta la casa
era piena di enormi botti montate su binari poggiati
su sopraelevazioni di cemento. Accanto su una piattaforma sempre di cemento stavano allineate una decina
di capaci damigiane piene di olio. L'altra parte della
cantina era occupata dal pozzo dove fermentava il vino
dopo la vendemmia. Il resto dello spazio era zeppo di
mobili e oggetti dismessi. Mi ricordo tra le altre cose
una vecchia pianola, una macchina fotografica gigan-
tesca montata su un treppiedi e i resti di un enorme
primitivo telefono a muro col quale mio nonno si era
tenuto in altri tempi in contatto con la sua miniera di
zolfo distante una cinquantina di chilometri.

I nonni usavano trasferirsi in campagna alla fine di
maggio e vi restavano fino all'ultimo giorno di settembre. Malgrado che la casa di campagna fosse fornita di
tutto, nonna faceva caricare non meno di tre carretti
colmi di materassi, pentole, lenzuola e cuscini. Quella che dalla casa in paese partiva per la campagna era
una sorta di carovana perché in testa a tutti c'era una
vecchia automobile FIAT 509 che trasportava i nonni.

Era un viaggio breve, di appena due chilometri, ma era sempre assai travagliato perché l'automobile doveva percorrere una trazzera piena di buche e molto malandata, non c'era volta che non rischiasse di capovolgersi. Quando finalmente nonno approdava alla sua poltrona preferita, cominciava ad asciugarsi il sudore dalla fronte mormorando tra sé e sé:

«Che viaggio infernale!».

Nonno Vincenzo e nonna Elvira erano tra loro diversissimi, tanto impetuosa, generosa, aperta e solare era la nonna quanto invece freddo, distaccato, riflessivo era nonno. Anche fisicamente erano all'opposto: nonna era nera di capelli con grandi occhi vivissimi e intelligenti, nonno invece apparteneva ai siculi normanni, biondo, impassibile, sempre elegante e di pochissime parole. Con loro andavano in campagna anche due dei tanti figli: zio Massimo che si occupava soprattutto dei lavori agricoli e zia Elisa che era a capo dei lavori domestici e delle tre contadine che venivano a fare i servizi in casa. A circa un chilometro dalla villa dei nonni c'era una graziosa piccola casetta dove abitava il mezzadro Minico con la moglie Maria e la figlia Grazia. Io andavo spesso a casa loro perché mi piacevano molto le storie che Minico mi raccontava.

La casa dei nonni non era servita né dall'energia elettrica né dall'acqua corrente, per fare il bucato o tenere pulito si usava l'acqua del pozzo che c'era appena fuori dal muro di cinta, l'acqua veniva estratta azionando una pompa a mano. Ogni mattina invece un contadino andava a prendere l'acqua potabile da una fontana che si trovava a mezzo chilometro di distanza e riempiva due barilotti che dovevano servire per tutto il giorno. L'elettricità venne allacciata nel 1945, l'acqua corrente doveva invece arrivare nel 1947, dico "doveva" perché in realtà non arrivò mai, venne fatto l'impianto, mio zio Massimo pagava regolarmente la bolletta ma ogni volta che si apriva un rubinetto si sentiva uno strano gorgoglio e non veniva fuori nemmeno una goccia. Ci provavamo tutti i giorni e il risultato era sempre lo stesso, questo di aprire i rubinetti divenne una specie di rituale: mio zio Massimo diceva che quel rumore era come un suono di speranza e lo ripagava in parte della bolletta che arrivava puntuale ogni tre mesi.

Appena terminate le scuole papà e mamma mi portavano in campagna dove stavo benissimo coccolato da nonni e zii. Mi ero fatto amico una capretta, Beba, che mi seguiva dovunque, facevo lunghe passeggiate per la campagna spesso accompagnato dalla nonna che aveva una fantasia sfrenata e contagiosa. Questa idilliaca atmosfera cambiò di colpo il 10 giugno 1940, io ero ormai quindicenne, quando Mussolini dichiarò guerra a Francia ed Inghilterra. Tre giorni dopo cinque caccia bombardieri francesi, probabilmente provenienti dalla Tunisia, piombarono di colpo sul nostro paese verso le cinque del pomeriggio e cominciarono a mitragliare e a bombardare. L'incursione non contrastata dalle batterie antiaeree, che si trovavano ancora in via di allestimento, durò una ventina di minuti. Miracolosamente quasi tutte le bombe caddero in mare e non ci furono né morti né feriti però il panico fu grande. Dal terrazzo assistemmo all'esodo di centinaia e centinaia di empedoclini che si trasferivano verso l'interno, dove avrebbero trovato riparo e alloggio presso le abitazioni di campagna di parenti e amici. Con la prontezza che la distingueva, nonna Elvira previde l'arrivo di qualche parente, così diede disposizioni perché io andassi a dormire con i miei nella stanza dei miei genitori. Come ho detto le camere da letto erano sette, una occupata dai nonni, una da zio Massimo, una da zia Elisa, l'altra dalla mia famiglia; rimanevano quindi a disposizione tre camere. La previsione di nonna si dimostrò esatta, infatti a sera ci trovammo ad ospitare tre famiglie, la prima era composta da nostra cugina Matilde Gibilaro e da sua figlia Maria, la seconda da un nipote della nonna, l'ingegnere Edoardo Capizzi e sua moglie Grazia, la terza dal Colonnello in pensione Veronica, sua moglie e il figlio Cesare. Eravamo diventati forse un po' troppi: "molta brigata vita beata" si usa dire, in realtà da quel momento in poi la nostra esistenza divenne assai complessa. È necessario sapere che il Colonnello in pensione Veronica era un poeta che aveva pubblicato già volumetti di versi e a quel tempo era impegnatissimo nella stesura di un lungo poema intitolato *Dio*. Egli usava comporre mentre se ne stava in bagno dove sostava per ore. Ora, come ho già detto, nella casa dei nonni di bagni ce n'era uno solo quindi mia nonna s'impose d'autorità: se il Colonnello voleva continuare a scrivere il suo poema bisognava che si recasse in bagno dalle cinque del mattino alle sette perché da quell'ora in poi era riservato alle donne. Sì, alle donne, perché in realtà noi maschietti decidemmo che la soluzione migliore sarebbe stata quella di soddisfare i nostri bisogni nel vigneto, oltretutto si trattava di un ottimo concime. Ma il nipote ingegnere cominciò a protestare fin dalla sera del suo arrivo:

«Ma qui siamo in pieno Medioevo! Manca la luce! Manca l'acqua! Bisogna rimediare, non è possibile andare avanti così!».

Una settimana appresso l'ingegnere decise di promuovere una sua personale guerra al Medioevo, arrivò un giorno dal paese con due operai e un camioncino pieno di strane apparecchiature. In un angolo del terrazzo, dove batteva sempre il vento, eresse un alto palo di ferro, saldamente legato alla ringhiera. In cima a questo palo montò una specie di elica di aeroplano a quattro pale che subito appresso cominciarono a girare vorticosamente, in qualche modo misterioso collegò con dei fili il palo a sei accumulatori disposti in fila, poi in tutte le camere portò i fili dell'elettricità, così ogni stanza venne munita di almeno una lampadina a basso voltaggio. Dopo una settimana o più di lavori finalmente girò una chiavetta e tutte le luci delle stanze si accesero: aveva in parte sconfitto il Medioevo. Il suo fronte di guerra ora si spostò sull'acqua, ci volle poco a sostituire la pompa a mano con una pompa elettrica che riuscì a portare l'acqua perfino in cucina, naturalmente dovette impiantare vicino al pozzo un altro palo con relativa elica e accumulatori. Restavano al buio il magazzino e la cantina, l'energia non era sufficiente, ri-

maneva aperto il problema dell'acqua potabile e lo zio
ingegnere stava studiando come risolvere la situazione
quando capitò un fatto imprevisto, vale a dire che su
Porto Empedocle un pomeriggio arrivarono sei caccia,
questa volta inglesi e provenienti da Malta, che cominciarono a mitragliare il paese sorvolandolo più volte.
Poi uno di questi caccia si diresse verso l'interno a bassissima quota, noi corremmo a rifugiarci in cantina ma
sentimmo che l'aereo virava e tornava indietro com-
piendo giri velocissimi sopra la nostra casa. Evidentemente il pilota si era accorto delle pale che giravano
e la cosa l'aveva insospettito, forse aveva supposto di
trovarsi sopra a qualche fabbrica perciò dopo due o
tre giri cominciò ad aprire il fuoco contro le pale. Se
ne andò solo dopo che le aveva distrutte ma aveva di-
strutto anche una delle porte-finestre che si aprivano
sul terrazzo, i proiettili erano penetrati dentro la stanza
e avevano perforato mobili e mura. Inoltre le raffiche
avevano sbriciolato il muretto che correva intorno al
pozzo e le pietre vi erano cadute dentro trasformando
l'acqua in una sorta di fanghiglia. L'ingegnere, vista la
miserabile fine delle sue invenzioni, decise di non ar-
rendersi.

«Domani rimetto tutto a nuovo.»

Ma nonna Elvira si oppose.

«E se qualche aereo decide di bombardarci invece che mitragliarci, che fine facciamo?»

Avvenne una specie di naturale votazione, tutti fummo contrari al ripristino delle apparecchiature e così il Medioevo ebbe la meglio.

Incontro coi briganti

Lo sbarco alleato in Sicilia avvenuto nella notte tra il 9 e il 10 luglio del 1943 si concluse circa due mesi dopo con la completa liberazione dell'isola. L'Università di Palermo riaprì le iscrizioni nel gennaio del 1944 e io con mezzi di fortuna raggiunsi la città e mi iscrissi alla facoltà di Lettere e Filosofia. Sei mesi dopo decisi di sostenere il mio primo esame ma a quel tempo raggiungere Palermo da Porto Empedocle non era cosa facile, la linea ferroviaria che aveva subìto gravissimi danni spesso veniva interrotta; le strade provinciali erano ridotte in condizioni pessime, alcuni pezzi diventavano ad un tratto impraticabili e bisognava allora fare dei lunghissimi giri, insomma in macchina o in camion ci si impiegavano non meno di quattro ore. Il giorno prima che partissi per l'esame seppi che la linea ferroviaria sarebbe stata inattiva per almeno tre giorni, allora mio padre, che a quei tempi era direttore provinciale della AST (Azienda Siciliana Trasporti), mi trovò un posto su uno dei suoi quattro camion che ogni notte trasportavano cassette di pesce freschissimo, appena pescato, da Porto Empedocle a Palermo. Montai su un camion guidato da un autista di lunghissima esperienza e più che fidato, si chiamava Don Vincenzino. Era noto per la prudenza della sua guida e per il sangue freddo che dimostrava in ogni occasione. Partii alle undici di sera, malgrado fosse giugno la notte era gelida e piovosa e nella cabina di guida faceva veramente freddo, talmente freddo che Don Vincenzino paternamente si premurò di mettermi un plaid sulle gambe. Il viaggio era monotono e così senza rendermene nemmeno conto mi assopii. Dopo qualche ora Don Vincenzino mi svegliò annunciandomi due cose: la prima era che ci trovavamo a poco più di un'ora di distanza da Palermo, la seconda era che alla prossima curva forse si sarebbe dovuto fermare.

«Perché?» gli domandai.

«Perché quasi sicuramente incontreremo i briganti della Banda Giuliano.»

Venni preso da uno spavento grandissimo, Giuliano e la sua banda erano già un mito che in seguito si sarebbe trasformato in leggenda, infatti qualche anno dopo, quando l'Italia tutta venne liberata e Mario Scelba divenne Ministro dell'Interno, mise una grossa taglia sulla testa del bandito, e questi per tutta risposta inondò Palermo di manifesti che a loro volta promettevano una grossa taglia per chi avesse preso il Ministro vivo o morto. Giuliano, qualche anno dopo, divenne l'esecrabile esecutore della strage di Portella della Ginestra ma nel '44 la sua fama incuteva già paura.

«E che vogliono da noi?» domandai atterrito.

«Non è la prima volta che mi fermano» rispose Don Vincenzino, «vogliono prendersi qualche cassetta di pesce fresco. Tu non devi gridare, fai solo quello che ti diranno di fare.»

Ammutolii, mi levai il plaid di dosso perché improvvisamente avevo cominciato a sentire molto caldo. Come annunciato, appena finito di fare la curva i fari illuminarono due uomini in mezzo alla strada che ci puntavano addosso i loro fucili mitragliatori. Con tutta calma Don Vincenzino accostò sulla destra e fermò il camion sul ciglio della strada, i due si avvicinarono con molta lentezza. Ebbi modo di vederli bene, indossavano dei lunghi impermeabili col cappuccio alzato sopra la testa, tutt'e due si fermarono a fianco del camion dalla parte dell'autista.

«Buonasera» dissero in coro.

«Buonasera a voi» disse Don Vincenzino, io non fui capace di disserrare i denti.

«Che pesci abbiamo stasera?» domandò uno dei due.

«Ho triglie, merluzzi e saraghi.»

I due parlottarono brevemente tra di loro poi uno disse:

«Va bene, dateci una cassetta di triglie e una di merluzzi».

«Scendi» mi disse Don Vincenzino.

«Perché?»

«Perché le cassette gliele dobbiamo portare noi fin dove vogliono loro.»

Con uno sforzo immane riuscii a mettere le mie gambe in movimento, scesi dal camion, cadeva una pioggia sottile e rada, quella che dalle parti nostre viene definita "assuppaviddranu", cioè a dire "inzuppa il contadino" perché il contadino, con una pioggia così, continua a lavorare il suo campo e poi alla sera, quando torna a casa, si trova con gli abiti completamente inzuppati d'acqua da strizzare. È una pioggerella fastidiosa ma io ricordo di non aver provato nessun fastidio, avevo ben altre preoccupazioni. Don Vincenzino intanto aveva aperto la parte posteriore del telone che copriva il camion e vi era entrato dentro, ne uscì con una prima grossa cassetta di triglie e me la porse, io non avevo mai trasportato una cassetta di pesce, tenerla con le due mani davanti a me mi avrebbe impedito di camminare così pensai che l'unica era di caricarmela sulla spalla, lo feci e subito l'acqua di mare cominciò a penetrarmi dal colletto fino a bagnarmi completamente la giacca, la camicia, la pelle stessa. Intanto Don Vincenzino era sceso dal camion e anche lui si era caricato sulla spalla una cassetta di merluzzi.

«Andiamo» disse uno dei due.

Ci disponemmo in fila indiana: un brigante, Don Vincenzino, io e un brigante che chiudeva la colonna. Fatti pochi passi il brigante di testa imboccò uno stretto viottolo che si inerpicava nella collina a strapiombo sulla strada. Il viottolo era stato reso scivolosissimo dalla pioggia caduta e infatti dopo aver fatto una decina di metri scivolai e nel timore di rovesciare la cassetta con il pesce la tenni con le due mani sicché andai a finire lungo disteso sulla fanghiglia imbrattandomi tutto. Senza dire una parola il brigante che stava alle mie spalle, mi prese per la giacca e mi tirò in piedi con la cassetta. Una decina di metri dopo scivolai nuovamente ma anche stavolta riuscii a non far cadere i pesci per terra. Poi, come Dio volle, raggiungemmo una specie di grotta debolmente illuminata. Entrammo. Era una grotta spaziosa, la luce proveniva da un lume a petrolio, era arredata con sedie di paglia e un tavolino. Seduto a questo tavolo ci stava un vecchio dalla barba bianca fluente che gli arrivava fin sopra le ginocchia, anche lui tra le gambe teneva un mitra. Sul tavolo davanti a lui ci stavano un fiasco di vino e alcuni bicchieri.

«Posate le cassette per terra» ordinò uno dei due briganti.

Eseguimmo.

Il vecchio non staccava gli occhi da me.

«Ti sei stancato?» mi domandò con voce affettuosa.

«Sì» gli dissi.

Allungò la mano, prese una sedia e la mise davanti a lui.

«Siediti.»

Obbedii.

Mi versò un bicchiere di vino.

«Bevi, che ti fa bene.»

Cominciai a bere e vidi che uno dei briganti stava offrendo una sigaretta americana a Don Vincenzino che se la accese, si accomodò e gradì anche lui un bicchiere di vino. Pareva una tranquilla riunione tra amici.

A un tratto il vecchio mi domandò:

«Che ci fai sul quel camion?».

Io, che mi sentivo molto confuso, riuscii a riordinare le idee e spiegargli che stavo andando a Palermo per dare un esame all'università. Il vecchio parve subito interessato.

«Che facoltà hai preso?»

«Lettere e Filosofia.»

«Che esame devi dare?»

«Proprio Filosofia.»

«E quale filosofo stai studiando?»

«Siccome l'esame è di Storia della filosofia devo dare un esame su Socrate e i presocratici.»

«Ti interessano?»

«Non tanto» risposi sinceramente.

«Sai» mi disse, «la vera filosofia ti interesserà quando ti imbatterai in Kant, Schopenhauer e meglio di tutti in Hegel.»

Rimasi a bocca aperta, il vecchio sorrise accorgendosi del mio stupore.

«Anche io ho studiato all'università, sai? Proprio come te Lettere e Filosofia, ma purtroppo la vita mi ha impedito di laurearmi e ho dovuto prendere un'altra strada.»

Quasi per cancellare le parole che aveva appena detto si riempì fino all'orlo un bicchiere di vino e lo tracannò di un colpo solo. Don Vincenzino domandò:

«Possiamo andarcene?».

«Padronissimi» rispose il vecchio e così dicendo si alzò, mi tese le braccia, mi alzai anche io, mi abbracciò forte e mi sussurrò in un orecchio:

«Spero che tu avrai migliore fortuna di me».

Seguii Don Vincenzino e ci trovammo noi due soli a ridiscendere il sentiero che ci portava verso la strada.

Ero uscito da quella grotta così frastornato che praticamente scivolai tante di quelle volte che a un certo punto Don Vincenzino esasperato mi caricò sulle sue spalle. Tornammo al camion, ero ridotto praticamente un ammasso di fanghiglia.

«Così prenderai un malanno» disse Don Vincenzino «perché non ti cambi?»

Presi la grossa valigia che avevo portato con me e dentro la cabina mi cambiai le scarpe, le calze, i pantaloni la camicia e la giacca. Don Vincenzino mi porse un fiasco pieno d'acqua per ripulirmi la faccia, ripartimmo in silenzio. Alle porte di Palermo vedemmo le luci di un bar, ci fermammo, prendemmo un caffè bollente, ci sentimmo tutt'e due molto meglio.

«Il vecchio che ti ha parlato» mi disse Don Vincenzino mentre riprendevamo il viaggio «nella banda lo chiamano Fra' Filippo, pare che oltre che studente universitario sia stato per un certo periodo anche un frate. Dicono che quando nella banda muore qualcuno lui abbia l'abitudine di impartirgli l'estrema unzione.»

E questo è stato l'indimenticabile mio incontro con alcuni briganti della Banda Giuliano.

Serbati Angelo

Quando lavoravo come redattore all'*Enciclopedia dello Spettacolo* un giorno nel mio ufficio entrò il collega e amico Chicco, figlio del poeta Corrado Pavolini, e mi mise sul tavolo un consunto libretto.

«Vorrei che tu lo leggessi.»

«Di che si tratta?»

«L'ha trovato qualche anno fa su una bancarella mio padre, l'ha sfogliato, si è incuriosito e l'ha comprato. Se dopo averlo letto mi dici che ti interessa, te ne darò un secondo dello stesso autore che però non è stato pubblicato. Abbiamo solo il dattiloscritto.»

Se ne andò e io osservai la copertina, il nome dell'autore era scritto anteponendo il cognome al nome: Serbati Angelo.

Sotto in grande c'era il titolo: *Orgoglio e turbamento*.

Sotto il titolo: *Tragedia in tre atti*. Al centro pagina campeggiava la foto dell'autore, un ometto smunto, malvestito, l'aria pensosa, la mano sinistra appoggiata alla spalliera di una sedia e quella destra infilata nel gilet come faceva Napoleone. Non c'era il nome dell'editore, evidentemente l'autore l'aveva fatto stampare a sue spese. L'aprii, dopo la controcopertina seguivano una quindicina di pagine, ognuna con una dedica diversa, ricordo perfettamente le prime tre perché quel libretto, in seguito, lo lessi e lo rilessi decine di volte.

La prima dedica al popolo italiano faceva:

"O popolo inequivocabile!
A te, che nessuno doma
perché nato nel segno di Roma,
dedico questa mia tragedia
che farà schiattare il mondo di invedia".

La seconda:

"A Sua Maestà Vittorio Emanuele III Re d'Italia
A te, Maestà, che benché piccoletto
stai sul tuo trono bene eretto

dedico questa mia opèra
che il mondo attende e spera".

La terza:

"A Sua Eccellenza Benito Mussolini Capo del
Governo Duce del Fascismo
A te Benito che sei il nostro Duce
che conosci la strada che conduce
a vittorie immortali
dedico queste pagine aspre ed irte
che il mondo accoglierà a braccia apirte".

Seguivano un'altra dozzina di dediche: "Ai caduti
della guerra 14/18", "Al Podestà Ersilio Beniveni", "Al
mio vicino di casa Commendator Francesco Saluzzi",
"A un passante qualsiasi" eccetera eccetera.

Finalmente si arrivava alla pagina indicata col titolo
I personaggi del dramma, e qua bisogna dire che i personaggi erano trentadue ma di ognuno di essi venivano
forniti al lettore tutti i dati anagrafici.

Faccio un esempio:

"Massimo Benedetti – fu Giuseppe e fu Margherita
Cosimato, nato ad Ascoli Piceno, di anni sessanta, ra-

gioniere, impiegato presso la ditta Cosimato, abitante in Via Cesare Battisti 68 al secondo piano".

"Agata Ferruzzi in Benedetti – fu Giovanni e fu Ernesta Pompili, nata ad Ascoli Piceno, di anni cinquantotto, casalinga, abitante nella stessa casa del marito."

Alla fine dell'elenco di tutti i personaggi c'era un asterisco che riportava a una nota a piè di pagina. La nota diceva testualmente:

"Oltre ai personaggi sopraindicati ne esistono altri quattro immaginari che il lettore potrà disporre dove vuole".

La pagina seguente era intitolata *Atto primo* e qui dopo averla letta e scorso le pagine successive mi accorsi di una cosa imprevedibile. Vale a dire che nessuno, ma proprio nessuno, dei personaggi elencati faceva parte della tragedia: i personaggi di quest'ultima erano tutti indicati con nomi diversi e senza nessun dettaglio anagrafico, pareva che tre commedie diverse tra loro fossero state rilegate assieme.

Do appena un'idea di come cominciava e procedeva la tragedia:

(La scena rappresenta un ampio salotto borghese, alle pareti grandi ritratti del Duce Benito Mussolini, di Sua

Maestà Vittorio Emanuele III e di altri rappresentanti locali, ci sono due finestre aperte. Da una si intravede il mare, dall'altra un paesaggio d'alta montagna. I personaggi sono tutti in scena seduti su sedie disposte a girotondo, quando il sipario si apre tutti i personaggi discutono animatamente ma non si sente nessuna voce, si vedono solo i gesti. Solo quando il pubblico comincerà a protestare e a rumoreggiare Ottavio si rivolgerà a voce alta ad Ottilia)

OTTAVIO – Che facesti lunedì Ottilia?

OTTILIA – *(confusa e smarrita)* Il lunedì viene dopo la domenica vero?

MARCO – *(insorgendo)* Sei sempre a fare domande difficili tu!

GIULIO – *(balzando in piedi e urlando)* Basta! Non ne posso più di tutti voi! Mi avete rovinato l'esistenza! *(cava dalla tasca un grosso revolver se lo punta alla tempia e si spara. Muore e si capovolge. Nessuno sembra dare importanza al fatto. Entrano due servi di scena che portano via il cadavere capovolto)*

OTTAVIO – E tu lunedì che facesti Ersilia?

ERSILIA – Che giorno era lunedì?

STEFANO – Lunedì era il diciotto brumaio.

E via di questo passo. Il primo atto consisteva in quindici pagine assolutamente surreali, impossibile riuscire a capire che cosa volessero dire. Nel primo atto morivano, naturalmente capovolgendosi secondo l'indicazione dell'autore, ben otto personaggi. Nel secondo, che constava di venti pagine, ne morivano altri diciotto, gli ultimi sei passavano a miglior vita nel terzo atto che era il più lungo di tutti: ben cinquanta pagine. Alla fine dopo la tradizionale scritta "Cala la tela" c'era un asterisco. L'asterisco si ripeteva a piè di pagina con la seguente nota: "Naturalmente muoiono e si capovolgono anche i quattro personaggi immaginari".

L'ultima pagina recava la seguente nota: "Finito di stampare il 18 luglio 1938. Il proprietario della tipografia degli Artigianelli di Ancona e i tipografi tutti declinano ogni responsabilità sul contenuto di questo libro".

Ne rimasi letteralmente entusiasta, era il primo testo di puro surrealismo che un autore italiano avesse mai scritto. Non so quanto questo surrealismo fosse volontario o meno ma certo era che il risultato fosse irresistibile e inarrivabile. Come ho già detto lo lessi due o tre volte di seguito e quindi chiesi a Chicco di farmi avere anche la seconda opera del Serbati.

Il giorno appresso mi portò un dattiloscritto e mi raccontò che suo padre Corrado, anche lui preso dall'entusiasmo per la tragedia pubblicata, aveva contattato la tipografia degli Artigianelli, e qualcuno era riuscito a dargli l'indirizzo del Serbati. Corrado Pavolini gli aveva scritto una lettera, gli aveva risposto la sorella raccontando come il Serbati, andato a Roma per consegnare personalmente la sua tragedia al Re e a Mussolini, avesse avuto un diverbio con alcuni poliziotti per cui era stato arrestato per resistenza alla forza pubblica e condannato ad alcuni mesi di carcere. La sorella specificava che del fratello, una volta liberato, non aveva avuto più notizie. Ricordava però che Angelo aveva depositato presso la Società degli Autori ed Editori un'altra sua tragedia. Corrado era andato alla Società degli Autori, aveva rinvenuto il dattiloscritto ed era riuscito a farsene fare una copia, quella che adesso stava sul mio tavolo.

Anche la seconda opera era una tragedia in tre atti e si intitolava: *Il casco ardente*. Non c'erano né dediche né elenco dei personaggi. Il primo atto, di una decina di pagine, consisteva in una didascalia che descriveva la scena. Secondo l'intenzione dell'autore la scenografia avrebbe dovuto rappresentare un paesaggio di campagna alle prime luci dell'alba, venivano indicati accuratamente gli alberi, la forma degli stessi, il numero dei rami e, approssimativamente, la quantità delle foglie. Nel paesaggio dovevano intravedersi tre case coloniche delle quali era data una minuta descrizione. Sulla destra scorreva anche un ruscello, l'unico movimento in scena doveva essere dato dal volo degli uccelli e dal passaggio di qualche gregge di pecore, non compariva nessun personaggio né veniva pronunziata nessuna battuta.

Il secondo atto mostrava lo stesso identico paesaggio ma, come specificava l'autore, alle due del pomeriggio. Anche qui non comparivano personaggi né venivano pronunciate battute, in sostanza si trattava del racconto della variazione della luce rispetto al primo atto, al posto del passaggio delle greggi di pecore questa volta si vedevano gruppi di vacche distese al sole.

La scenografia del terzo atto era identica a quella dei primi due, solo che si trattava dell'imbrunire, infatti l'autore voleva che dalle finestre delle case coloniche trapelasse qualche luce. Questa volta al volo degli uccelli si sostituiva il volo delle nottole, non passavano animali, sullo sfondo si doveva vedere una donna di una certa età che arrancava portando sulle spalle delle fascine. Nel corso del terzo atto si faceva notte e il paesaggio scompariva, in quell'attimo si accendeva un grosso proiettore che illuminava l'entrata in scena di un vecchio pescatore poveramente vestito con canna e lenza appoggiate su una spalla.

Trascrivo testualmente:

IL VECCHIO PESCATORE – (*entra e si ferma al centro della scena guardandosi attorno smarrito e perplesso, poi guarda il pubblico in sala. Si porta le due mani ai lati della bocca e urla*): No! (*ed esce di scena*)

Il secondo dramma era meno animato del primo ma io credo che volesse essere una metafora dell'esistenza umana e del rifiuto di essa. Certo, *Il casco ardente* aveva caratteri meno surrealistici di *Orgoglio e turbamento* ma ne acquistava in profondità e complessità.

Chicco Pavolini, che era anche un ottimo regista, cercò più volte di mettere in scena *Orgoglio e turbamento* ma ogni volta gli attori si rifiutarono temendo le reazioni del pubblico.

Così Serbati Angelo è morto dimenticato, per questo ho voluto rendergli l'omaggio che meritava.

Il circo Pianella

Immancabilmente dal 1 al 7 agosto di ogni anno il circo Pianella montava la sua tenda in uno spiazzo vicinissimo al porto. Dietro al tendone venivano parcheggiati quattro grossi carrozzoni, un van per il trasporto cavalli e una gabbietta che conteneva una scimmia di media statura. Era un circo povero e aveva sempre gli stessi numeri: c'erano due clown, uno che si chiamava col nome classico di Grok e l'altro, che era anche il proprietario del circo, che si chiamava invece Pianella perché al posto delle grandi scarpe tipiche dei clown indossava due gigantesche pianelle rosa. Poi c'era un equilibrista che camminava su un filo, un'ammaestratrice di due piccoli cani, la scimmia che sapeva andare in bicicletta e un uomo orchestra che suonava il clarinetto, la grancassa, i piatti sistemati alle sue spalle con un filo legato alla caviglia di un piede. Quest'ultimo faticava più di tutti perché accompagnava con la sua musica ogni numero.

Le vere attrazioni del circo però erano due: il grande mago e illusionista Chabernot e la cavallerizza Marisa Olliver, una ragazzona di gamba lunga con biondi boccoli che le scendevano fino a coprirle il seno, occhioni fintamente ingenui e che indossava quasi sempre costumi succinti. Era molto brava nel fare acrobazie stando in piedi sulla groppa del suo cavallo.

Il circo dava due spettacoli quotidiani, uno dalle 16 alle 18, specialmente dedicato ai bambini e alle mamme, e il secondo dalle 20.30 alle 22.30 riservato ad un pubblico adulto. Il mago Chabernot incantava per le sue capacità di ipnotizzatore, infatti sceglieva uno del pubblico, gli chiedeva di entrare in pista e dopo averlo ipnotizzato gli faceva fare e dire le cose più incredibili. Per esempio gli suggeriva che stava facendo un bagno e quello, regolarmente, mimava il nuoto, a un tratto gli diceva che aveva perduto le forze e stava per affogare e quello, immancabilmente, faceva gesti scomposti urlando: «Aiuto! Aiuto!». Poi chiamava un altro del pubblico, lo ipnotizzava e gli ingiungeva di andare in soccorso di quello che stava annegando. In genere si trattava di spettacoli esilaranti. Però i più furbi sapevano benissimo che Chabernot non sceglieva a caso tra gli spettatori: si era preventivamente accordato con loro. Solitamente si trattava infatti di poveracci disoccupati ai quali le dieci lire promesse facevano comodo.

Accadeva però una cosa curiosa e cioè che i migliori numeri erano quelli imprevisti che capitavano molto frequentemente. Una sera, per esempio, mentre il clown Pianella intonava una sua canzoncina che su per giù faceva così: «*I giovanotti di Porto Empedocle / son tanti damerini / ma se li guardi in tasca / non hanno mai quattrini*», entrò improvvisamente la bionda cavallerizza che sconvolta si mise a urlare:

«Per favore c'è un medico in sala? Venga subito nel retro!».

Pianella, che mentre cantava reggeva tra le mani un grosso vassoio pieno di farina, lo posò a terra e corse tra le quinte a vedere cosa stesse succedendo.

«Ci sono io!» gridò il dottor De Giovanni rispondendo dall'ultima fila e cominciando a scendere la scaletta di corsa. Ma, arrivato al rialzo che circondava la pista, inciampò, cadde lungo disteso e la sua faccia andò a finire sopra il vassoio che conteneva la farina. Si rialzò tutto imbiancato, pareva proprio un clown e il pubblico malgrado la tensione del momento scoppiò a ridere e principiò ad applaudirlo. Il dottore, arrabbiatissimo, fece il gesto dell'ombrello al pubblico e scomparve di corsa tra le quinte.

Un altro emozionante spettacolo imprevisto fu quando un cane randagio si presentò in pista proprio mentre l'ammaestratrice faceva fare degli esercizi ai suoi due cani. Il randagio si avventò verso i due piccoli cani che reagirono prontamente mentre l'ammaestratrice urlava per lo spavento. Il pubblico cominciò a scommettere, incredibilmente vinsero i due cani ammaestrati che riuscirono a cacciar via dalla pista il randagio ma, appena ripreso lo spettacolo, quello velocissimo tornò in pista, diede un morso al polpaccio dell'ammaestratrice e scappò via a grandissima velocità.

Un altro memorabile episodio avvenne quando due operai portuali, completamente ubriachi, scesero in pista, cacciarono via Pianella e Grok e cominciarono ad esibirsi in una gara di peti rumorosissimi: vinse tra gli applausi deliranti del pubblico il più giovane, che riuscì a spararne ben trentuno di fila.

All'una di notte del 7 agosto del 1942 ci fu un improvviso e micidiale bombardamento da parte di alcuni aerei inglesi, l'attacco avvenne prima che la sirena d'allarme potesse avvertire gli abitanti. Due bombe di grosso calibro centrarono tanto il tendone del circo quanto i quattro carrozzoni dove tutto il personale dormiva, non si salvò nessuno, fatta eccezione della scimmia che venne adottata dalla cittadinanza. Però i soccorritori non riuscirono, per quanto si impegnassero, a ritrovare il corpo di Marisa la cavallerizza. Lo cercarono per giorni e giorni finché qualcuno avanzò un'ipotesi che venne accettata da tutti e cioè che, a causa dell'esplosione, il corpo di Marisa fosse stato scagliato in mare e qui le correnti l'avessero trasportato al largo.

Una decina di giorni appresso, una notte di luna piena, un contadino che era un abituale frequentatore del circo, passando in bicicletta davanti alla villetta isolata del dottor De Giovanni, vide distintamente affacciato al balcone il fantasma di Marisa la cavallerizza. Per lo spavento cadde dalla bicicletta ma dopo un po' si rialzò e corse in paese, cominciò a raccontare a tutti della visione avuta, il fantasma era coperto da una vestaglia bianca ed era riconoscibilissimo dai boccoli. Siccome il contadino spesso e volentieri alzava il gomito, non venne creduto. Tre notti dopo, rifacendo la stessa via, il contadino rivide il fantasma, stavolta si controllò, andò a svegliare il maresciallo dei carabinieri e gli raccontò quello che aveva veduto. Il maresciallo era un uomo intelligente e furbo, tra l'altro, gli era giunto alle orecchie che la cavallerizza e Pianella erano stati amanti e che Pianella ogni tanto chiudeva un occhio se Marisa concedeva le sue grazie a qualche spasimante danaroso come lo era appunto il dottor De Giovanni. Il dottore era sì sposato, ma la moglie si era trasferita con i figli in un paese dell'interno per evitare il rischio dei bombardamenti quasi quotidiani. Così decise di presentarsi quella mattina stessa in casa del dottore.

Sulle prime De Giovanni negò e rise all'idea che in casa sua circolasse il fantasma della cavallerizza, ma alle domande sempre più insistenti e insidiose del maresciallo alla fine cedette e ammise. Sì, la notte del bombardamento Marisa l'aveva trascorsa a casa sua, poi quando stava per ritornare all'alba al carrozzone aveva saputo della distruzione del circo e così era tornata indietro accolta a braccia aperte dal dottore, e da quel giorno avevano preferito lasciar credere a tutti che era morta.

La notizia, naturalmente, giunse all'orecchio della

moglie di De Giovanni, la quale prese la decisione di non tornare più a Porto Empedocle e così il dottore e la cavallerizza poterono convivere a lungo, felicemente come se fossero marito e moglie.

Lorenzo Mattotti

Tarantella su un piede solo

Nel 1962 il regista Ottavio Spadaro, che dirigeva la compagnia stabile di prosa presso il Teatro Mercadante di Napoli, mi chiese di mettere in scena una novità di Luigi Lunari, allora drammaturgo al Piccolo Teatro di Milano intitolata *Tarantella su un piede solo*. Mi mandò il copione, io lo lessi e mi piacque subito: si trattava di un lavoro piuttosto impegnativo a metà strada tra il dramma e la commedia musicale con moltissimi personaggi. Raccontava di tre poliziotti corrotti che controllavano un bordello e un bar frequentato da gente di dubbia moralità.

È necessario ricordare che a quei tempi esisteva una ferrea censura preventiva, prima di mettere in scena una commedia bisognava mandare il testo alla Commissione Censura istituita presso il Ministero dello

Spettacolo di cui era *dominus* il senatore Giulio An-
dreotti. Questo ufficio si distinse per i suoi giudizi re-
strittivi e inappellabili. Faccio qualche esempio: nel
1950 venne proibita in modo tassativo e definitivo la
rappresentazione della commedia *Notturno* che era
stata insignita dell'importante premio Riccione, opera
prima di un autore di grande statura: Gennaro Pistilli.
In seguito vennero proibite anche commedie come *Il
soldato Piccicò* di Aldo Nicolaj o *La governante* di Vitaliano Brancati. Tutti si ricordano le difficoltà e i divieti
che incontrò Luchino Visconti per poter far rappresentare la *Arialda* di Giovanni Testori, e fu lo stesso
ufficio a far negare il visto di ingresso alla compagnia
del Berliner Ensemble di Bertolt Brecht. Ma ci fu anche di peggio, la rivista "Cinema Nuovo", diretta dal
critico cinematografico Guido Aristarco, aveva pubblicato un soggetto di Renzo Renzi intitolato *L'armata
s'agapò* che raccontava le vicende del nostro esercito
durante la guerra contro la Grecia. Il soggetto venne
giudicato come un atto di vilipendio verso le nostre
forze armate, il Tribunale Militare avocò a sé la causa,
Renzi ed Aristarco, che erano ancora richiamabili alle
armi, furono perciò arrestati e tradotti in una fortezza
del Nord che era stata trasformata in carcere militare.

A me, personalmente, alla prova generale di un classico come *Il pellicano* di Strindberg arrivò il copione con un biglietto della censura che ne proibiva assolutamente la rappresentazione con la seguente motivazione: "Testo del tutto contrario ai princìpi della famiglia cattolica".

Quando mi arrivò il copione della *Tarantella*, la censura preventiva, abolita da due mesi, era stata però sostituita da qualcosa di più pericoloso. Vale a dire che alla prima di ogni spettacolo doveva essere presente un funzionario di polizia il quale poteva, a suo giudizio, sospenderlo in qualsiasi momento ove avesse creduto di intuire nelle battute qualcosa di contrario alla cosiddetta morale comune. Va tenuto inoltre presente che in quegli anni la polizia era ancora un corpo militare cioè a dire era equivalente all'Arma dei carabinieri. Io mi posi subito un problema: come avrebbe reagito il funzionario di polizia nel vedere rappresentare sulla scena le cattive azioni di alcuni suoi colleghi? Ne scrissi a Lunari il quale mi mandò per tutta risposta una sorta di aggiunta al finale nel quale la commedia assumeva un andamento favolistico quasi che le cose rappresentate fossero avvenute in un mondo irreale.

Durante le prove, durate più di un mese e mezzo, mandai il copione al Questore di Napoli pregandolo di avvertire il funzionario di servizio di non interrompere e lasciar proseguire lo spettacolo sino alla fine. Dopo alcuni giorni mi arrivò un biglietto intestato "Questura di Napoli" nel quale il Questore mi scriveva testualmente che aveva letto la commedia, che per lui andava benissimo e che di conseguenza avrebbe avvertito il funzionario di turno, concludeva facendomi gli auguri e salutandomi con molta cordialità. Ad ogni buon conto, da quel momento in poi, mi portai quel biglietto sempre in tasca.

Lo spettacolo era molto complesso e difficile, oltre ad una decina di grandi attori napoletani tra i quali Pupella Maggio, recitavano anche il comico Carlo Croccolo, allora molto in auge, la coppia di ballerini attori Elena Sedlak e Paolo Gozzellino e il cantante Jimmy Fontana. Le musiche scritte appositamente da Gino Negri erano eseguite dal vivo e l'orchestra, piuttosto numerosa, era situata nel golfo mistico.

Alla prova generale invitai tutti i giornalisti napoletani che accolsero l'opera con grande favore. La sera seguente, al debutto, la fine del primo atto venne accolta da scroscianti applausi del pubblico che gremiva il grande teatro, per ben sei volte il sipario venne aperto e gli attori si presentarono alla ribalta per ringraziare. Ma, appena il sipario venne chiuso per la sesta volta, percepimmo un improvviso grande silenzio in sala. M'accostai al sipario, lo spostai leggermente e sbirciai. Tutto il pubblico guardava verso il palco reale dove un signore in piedi, paonazzo, urlava a gran voce:

«Sono il Procuratore Capo della Repubblica, questo ignobile spettacolo non deve continuare! Dov'è il funzionario in sala? Intervenga subito a far finire questa sconcezza».

Una parte del pubblico reagì duramente alle parole del Procuratore.

«Se non vuoi vedere lo spettacolo vattene via! Siamo noi che dobbiamo giudicare se è bello o brutto.»

Mentre la diatriba continuava arrivò in palcoscenico un signore che si presentò a me come un Commissario di Pubblica Sicurezza, e mi disse:

«Il Questore mi aveva ordinato di essere cieco e sordo questa sera ma lei capisce che di fronte all'autorità del Procuratore Capo io non posso sottrarmi al suo volere, quindi lei deve interrompere lo spettacolo».

«Cosa dico al pubblico?» domandai.

«Dica che per ragioni tecniche lo spettacolo non può proseguire.»

«Eh no! Il principale responsabile tecnico sono io e quindi mi rifiuto di usare questa falsa scusa.»

«Allora» concluse il Commissario «dica pure che si tratta di un ordine della Procura.»

Fremendo d'ira e frustrazione e provando vergogna per ciò che ero costretto a fare, aprii il sipario e mi presentai al pubblico. Nella sala regnava un silenzio assoluto. Dissi:

«Per ordine del Procuratore Capo di Napoli il nostro spettacolo viene qui interrotto, potete tornarvene a casa. Buonanotte» e rientrai dietro il sipario.

Si scatenò un autentico putiferio. Alcuni si misero ad insultare il Procuratore che pensò bene di andarsene via. Il Commissario con due agenti tentò di far sgombrare la sala ma alcuni spettatori si rifiutarono rimanendo seduti e urlando improperi contro il Procuratore e la polizia stessa. Si trattava di una ventina di persone e quindi il Commissario chiese rinforzi: arrivò la celere, i celerini sollevarono di peso a uno a uno gli spettatori e li trasportarono fuori dal teatro.

Tornai in albergo, non so come la notizia si era sparsa in un baleno per tutta l'Italia, da Milano mi telefonò Dario Fo e mi disse che aveva preso contatto con un gruppo di avvocati che si occupavano della difesa degli allora obiettori di coscienza al servizio militare e che si erano messi a mia completa disposizione, mi fornì i loro numeri di telefono.

Il giorno appresso, mestamente, me ne tornai a Roma leggendo i giornali che riportavano l'accaduto, e mi sollevò dal malumore un incidente capitato al critico teatrale dell'"Unità": egli era venuto alla prova generale ma chiaramente non era tornato per la prima infatti il suo articolo si concludeva testualmente così: "Alla fine lo spettacolo ha avuto un ottimo successo. Molte chiamate agli attori, all'autore e al regista. Si prevede una grande affluenza di pubblico nelle repliche".

Due giorni dopo seppi da un avvocato che ero stato accusato di vilipendio delle forze armate e di spettacolo osceno, lo stesso avvocato mi comunicò che per legittima suspicione la causa era stata spostata a un tribunale romano. Tre giorni dopo si presentò alla mia porta un Capitano dei carabinieri il quale oltre a ritirarmi il passaporto mi chiese il foglio matricolare.

«Ma io non ce l'ho» risposi.

«Ne chieda una copia.»

«Perché?»

«Perché se lei è ancora richiamabile alle armi il processo passa al Tribunale Militare.»

In un attimo mi vidi chiuso in fortezza come era capitato a Renzi e Aristarco.

«Tornerò tra tre giorni» disse il Capitano.

Avevo un amico Ammiraglio perché io avevo fatto il servizio militare nell'allora Regia Marina, dopo due giorni il mio amico mi telefonò dicendomi che aveva tra le mani il mio foglio matricolare nel quale risultava che io ero ormai definitivamente non richiamabile e me ne inviò subito copia che io consegnai al Capitano non appena si ripresentò a casa mia. Almeno l'arresto in fortezza era stato scongiurato.

Trascorso un mese ricevetti l'invito a recarmi a Roma, al Palazzo di Giustizia dal Giudice Istruttore. Questi mi accolse freddamente, si alzò, mi porse la mano e mi invitò a sedere su una sedia di fronte alla sua scrivania, nel corridoio c'erano ben sei avvocati della mia difesa i quali però, per le leggi allora in vigore, non potevano assistere all'interrogatorio. Mentre il Giudice Istruttore leggeva alcune carte io mi misi più comodo e accavallai le gambe, e a questo punto lui si

alzò a mezzo, vide le mie gambe accavallate mi guardò
e disse severissimo:

«Si metta composto per favore».

Mi sentii gelare.

"Principio sì giolivo ben conduce" aveva scritto Bo-
iardo: se già il Giudice Istruttore mi rimproverava per
aver accavallato le gambe figurarsi cosa avrebbe fatto
contro di me durante l'interrogatorio. Cominciai a su-
dare freddo, il Giudice finalmente mi rivolse la parola.

«Ho letto il copione, le faccio una precisa domanda.
Quando il Procuratore Capo di Napoli si è fatto rappresentare privatamente l'opera…»

Lo interruppi:

«Mi perdoni, signor Giudice, ma non c'è stata nessuna rappresentazione privata».

Si mostrò perplesso.

«Lei mi sta dicendo che il Procuratore si è limitato a
vedere solo il primo tempo dello spettacolo?»

«Sì.»

«Non l'ha voluto vedere da solo fino alla fine in una
rappresentazione privata?»

«Ma quando mai!»

Il Giudice ammutolì, rimase pensoso, io mi azzardai
a chiedere con voce tremante:

«C'è qualcosa che non va?».

Lui mi rispose:

«Vede, la situazione è un po' curiosa. È come se lei dicesse "porco"... e io la imputassi di blasfemia. Mentre invece lei voleva semplicemente dire "porco cane". Mi sembra che la conclusione della commedia rovescia in positivo tutto quello che c'era di negativo».

«Infatti» osai dire «io nel corso delle prove mi ero premurato di far pervenire il copione al Questore di Napoli ed egli mi ha mandato questo biglietto in risposta.»

Lo cavai dalla tasca e glielo porsi, lui lo prese, lo lesse attentamente, disse:

«Questo lo metto agli atti».

E rimase pensieroso.

«E allora?» domandai.

«E allora lei capirà che io non posso procedere perché per me il reato non sussiste, quindi lei può tranquillamente liquidare tutta la torma di avvocati che si è portato appresso.»

Si alzò, mi fece una specie di sorriso, mi porse la mano e si risedette, io uscii dalla stanza che mi veniva di cantare e di saltare in aria per la contentezza.

Naturalmente qualche tempo dopo mi arrivò una

comunicazione giudiziaria nella quale era scritto che venivo prosciolto in istruttoria perché il fatto non costituiva reato.

L'edicolante napoletano

Nel 1945 si svolse a Taormina il primo congresso regionale del Partito Liberale, mio zio Carmelo che era un alto esponente di questo partito fece sapere a papà che da Roma sarebbe venuto in Sicilia per intervenire assieme a Manlio Brosio, che allora era vicepresidente del Consiglio dei Ministri e che in futuro sarebbe diventato il primo segretario generale della NATO. Papà però era troppo impegnato per poter recarsi a Taormina, ci andai io non perché ne avessi voglia ma vi fui mandato dal Partito Comunista in qualità di osservatore. In quei tre giorni ebbi modo di riabbracciare zio Carmelo, che non vedevo da anni, e di fare conoscenza col grande scrittore Vitaliano Brancati. Il giorno prima di tornarsene a Roma, zio Carmelo mi invitò ad andare con lui, sarei stato ospitato a casa sua. Io avvertii i miei genitori che non ebbero niente in contrario. Brosio e zio Carmelo erano venuti da Roma con una littorina speciale che fino a qualche tempo prima era servita a Mussolini per i suoi spostamenti. Era munita di confortevoli cuccette quindi il viaggio fu comodissimo, tanto che io mi svegliai che ormai eravamo alle porte di Roma. Vi restai per circa un mese, feci una vita intensissima, ero affamato di concerti, spettacoli teatrali, dibattiti politici, nuove letture. Tra l'altro in quei giorni conobbi la felicità: l'importante rivista politico-letteraria "Mercurio" pubblicò la mia prima poesia. Proprio una settimana avanti di partire lessi su "Les Nouvelles littéraires" la prima parte di un lungo articolo-saggio di Jean-Paul Sartre che mi interessò moltissimo, la seconda parte, diceva la rivista, sarebbe stata pubblicata nel numero successivo. Arrivò il giorno della partenza e io disperatamente cercai nelle edicole romane il nuovo numero e purtroppo non lo trovai. Tornare in treno non fu per niente semplice e comodo come era stato il viaggio di andata, a quell'epoca c'erano pochi treni e la gente viaggiava standosene persino sopra i tetti delle vetture, i corridoi erano affollati e praticamente raggiungere il bagno era un'impresa. Chi si alzava dal suo posto rischiava di perderlo per sempre. Io, in partenza, mi trovai seduto accanto a un uomo dall'aria poco rispettabile, anzi, per dirla tutta, dall'aria decisamente delinquenziale. Non so perché mi prese in simpatia, teneva sulle gambe una valigia dalla quale estrasse un pacchetto di Camel che mi regalò quindi cavò fuori anche una bottiglia di whisky e me ne fece tirare una lunga sorsata. In prossimità dell'arrivo a Napoli mi venne in mente che forse nell'edicola della stazione avrei potuto trovare il nuovo numero di "Les Nouvelles littéraires". Premetto che due giorni prima di partire ero rovinosamente caduto per le scale e mi ero fatto male ad una gamba, motivo per cui camminavo zoppicando e appoggiandomi ad un bastone. Quando il lunghissimo treno si fermò a Napoli nessun passeggero scese, tutti temevano di perdere il posto duramente guadagnato, io allora mi rivolsi al mio vicino:

«Devo assolutamente scendere, lei può guardarmi il posto?».

«Vada tranquillo» fu la risposta.

Mi feci largo tra le persone che stavano distese a terra nel corridoio e scesi appoggiandomi al mio bastone. Mi resi conto che la stazione era lontanissima, la banchina deserta e così cominciai a camminare il più velocemente possibile. Dopo i primi passi zoppicanti mi resi conto che la stazione di Napoli letteralmente non esisteva più, c'erano solo pezzi di muro che ancora si tenevano dritti in mezzo a cumuli enormi di macerie, la mia miopia mi permise a un certo punto di scorgere dei fogli bianchi appesi al resto di un muro. Pensai fosse l'edicola e accelerai il passo anche perché non sapevo quando il mio treno sarebbe ripartito e quindi c'era la possibilità che se ne andasse all'improvviso senza di me. Quando arrivai ad una certa distanza mi accorsi che si trattava di un pezzo di muro sul quale erano appesi alcuni giornali e che l'edicola consisteva in una sedia di paglia sulla quale stava seduto un grasso edicolante, davanti a lui un'altra sedia di paglia che conteneva dei giornali accatastati l'uno sull'altro. L'edicolante, chiamiamolo così, mi osservava mentre correvo verso di lui, immobile senza fare un gesto. Quando finalmente gli fui di fronte ansante per la corsa fatta, gli domandai:

«Scusi, ha per caso il nuovo numero di "Les Nouvelles littéraires"?».

L'uomo mi guardò fisso, senza rispondere, poi la sua lingua comparve tra le labbra e mi scagliò contro una pernacchia fragorosa senza mutare espressione. Aveva

ragione lui: chiedere l'ultimo numero di "Le Nouvelles littéraires" in quella desolazione non meritava altra
risposta. Così voltai le spalle e zoppicando tornai di
corsa a riguadagnare il mio posto in treno.

Con Eduardo

Con Eduardo lavorai per otto mesi di seguito negli studi Rai in qualità di delegato alla produzione. La produzione si svolse nella tranquillità più assoluta ma ci furono tre episodi che forse vale la pena di raccontare.

Eduardo mi aveva pregato di fargli avere i copioni vistati dalla censura interna prima che cominciassero le prove a tavolino in maniera da poter discutere con me gli eventuali tagli da fare. L'ufficio censura della Rai trovò ben poco da censurare, levò qualche "perdio" di troppo o qualche battuta, rarissima, sulla famiglia. Senonché quando, dopo circa tre mesi, venne il turno di registrare la commedia intitolata *Le voci di dentro*, venni chiamato dall'ufficio censura perché bisognava tagliare una battuta. Io protestai perché così contravvenivo al patto fatto con Eduardo ma l'ufficio fu irremovibile, quella battuta andava tagliata.

Ma cosa c'era di tanto pericoloso? A dirlo oggi viene quasi da ridere. All'interno di un lungo monologo che Eduardo faceva a un certo punto, suppergiù, pronunciava le seguenti parole:

«Prima le feste religiose si facevano con il santo, un prete, un sacrestano, due chierichetti, quattro vecchiette e venivano che erano una meraviglia. Oggi si fanno con il santo, un prete, un ministro, due sottosegretari, quattro onorevoli e vengono una schifezza».

Ripeto, si trattava di una frase all'interno di un lungo monologo. Tornai a casa per il pranzo nervosissimo all'idea di dover comunicare l'intervento della censura a Eduardo perché proprio quel pomeriggio dovevamo registrare l'atto in cui era contenuto quel monologo. Nell'uscire da casa per recarmi in via Teulada inciampai nella porta e mi spaccai in due gli occhiali, non ne avevo di ricambio, così raggiunsi lo studio in stato di totale handicap. Decisi di non comunicare nulla a Eduardo, in quelle condizioni non mi sentivo di intraprendere una discussione con lui. In studio io sedevo accanto ad Eduardo e di fronte a noi c'era il monitor; Stefano De Stefani, il regista, se ne stava nella cabina di regia. Eduardo osservava e guidava la prova facendosi sostituire dal suggeritore, quando aveva finito di sistemare intonazioni e movimenti di tutti gli altri mandava fuori il suggeritore e lui cominciava a recitare in prima persona la sua parte. Ripeteva per due, tre, quattro volte la scena e poi si cominciava a montarla con le telecamere. Anche quel pomeriggio le prove si svolsero come di consueto. Eduardo se ne stette seduto accanto a me intervenendo frequentemente sugli attori, ogni volta che il suggeritore che lo sostituiva pronunciava la frase incriminata io sudavo freddo ma non aprivo bocca, poi si alzò e cominciò con gli altri a recitare il suo personaggio. Alla terza volta interruppe la recitazione e si rivolse direttamente a me:

«Sentite un po', Camille', ma questo monologo non vi sembra un po' lungo?».

Dentro di me cominciai a sentire suonare campane a festa.

«Effettivamente lo è» dissi.

«Allora facciamo così» fece Eduardo avvertendo il suggeritore e Stefano De Stefani, «tagliamo la parte del mio monologo che parla delle feste che sono diventate una schifezza. Siete d'accordo, Camille'?»

«D'accordissimo» risposi con entusiasmo.

Dentro di me ormai le campane suonavano a stormo.

Registrammo la scena, che venne benissimo. Era diventata un'usanza, alla fine di ogni registrazione, che io ed Eduardo prendessimo assieme l'ascensore che dal quinto piano ci avrebbe portato al piano terra dove c'era il bar per bere un caffè assieme. Anche quella volta lo prendemmo e appena fummo dentro subito Eduardo si voltò verso di me.

«Io la battuta ve l'ho tagliata, ma voi perché non me l'avete chiesto?»

«Edua'» risposi, «non ve l'ho chiesto perché mi sono rotto gli occhiali e non me la sentivo di discutere con voi. Ma a voi chi ve l'ha detto di tagliare quella battuta?»

La sua risposta mi giunse assolutamente imprevedibile.

«Me l'ha detto la faccia vostra, la faccia che facevate ogni volta che dicevo quelle parole.»

Non mi rimase che ringraziarlo e offrirgli il caffè.

Il secondo episodio avvenne proprio durante la stessa commedia.

La scena si svolgeva in un grande magazzino pieno di sedie di paglia che il personaggio interpretato da Eduardo affittava per le feste. Nel magazzino abitava, dormendo in una specie di soppalco, lo zio di Eduardo il quale aveva deciso di non parlare più, che le parole erano assolutamente inutili e quindi dialogava col nipote sparando dei mortaretti. Lo stesso zio aveva deciso che quando si sarebbe sentito in punto di morte, l'avrebbe comunicato al nipote accendendo un piccolo fuoco d'artificio chiamato "fontana". Si trattava di un cartoccio che lo zio teneva appeso accanto al letto, una volta accesa la miccia il cartoccio si trasformava in una piccola fontana che emetteva scintille di vario colore. Durante tutte le prove ogni cosa procedette alla perfezione, al momento di registrare la scena della morte dello zio io me ne salii in regia e cominciammo la registrazione. Come da copione lo zio, sentendosi morire, accendeva un fiammifero e con esso dava fuoco alla miccia ridistendendosi sul letto. Quella volta la miccia si accese, però, invece della fontana, accadde qualcosa di imprevisto, cioè a dire esplose un vero e proprio fuoco di artifizi: un raggio multicolore volò verso il soffitto dello studio con botti fragorosi e assordanti poi si aprì a ombrello facendo cadere sugli attori dei frammenti ancora accesi dopodiché salì ancora più in alto cambiando colore, in breve scoppiò il panico. Tutti gli attori scapparono fuori dallo studio che venne

invaso da un fumo denso che rendeva ogni cosa in-
visibile, per completare l'opera il razzo sempre acceso andò a finire tra le sedie di paglia incendiandole.
Subito scattò l'allarme e accorsero i pompieri, intanto
io atterrito mi ero precipitato sulla scaletta che dalla
regia portava allo studio rischiando di rompermi l'os-
so del collo. Dentro lo studio non si vedeva nulla, era
quasi impossibile respirare. Camminai a tentoni con
le braccia protese e a un tratto toccai le spalle di una
persona, mi avvicinai, guardai, era Eduardo, non era
scappato via dallo studio come tutti gli altri, se ne stava
a capo chino, tristissimo, con le mani incrociate dietro
la schiena, mi vide e mi disse:

«Eh, caro Camilleri, la televisione è in mano ai preti
e ai piemontesi».

«Perché?» gli domandai.

«Perché i preti stanno dappertutto e i piemontesi
sono quelli che non distinguono una fontana da un tric
e trac!»

E si allontanò lentamente perdendosi nel fumo.

Il terzo episodio avvenne quando girammo *Filomena
Marturano* che era stata il cavallo di battaglia della grande Titina De Filippo: qui la parte era interpretata da
un'altra bravissima attrice napoletana, Regina Bianchi.

Pochi minuti prima che iniziassimo a registrare il primo atto, Eduardo si avvicinò all'attrice e le disse:

«Cerca di recitare come meglio puoi perché devi tenere presente che questo spettacolo mia sorella Titina se lo vedrà».

L'attrice recitò splendidamente.

Alla fine io, commosso, scesi dalla regia e andai da lei che se ne stava seduta col capo tra le mani e i gomiti appoggiati su un tavolo.

«Sei stata meravigliosa» dissi toccandola su una spalla.

Bastò quel tocco per far sì che l'attrice, così com'era, cadesse dalla sedia giù per terra: era svenuta per la tensione della recitazione e anche per quello che Eduardo poco prima le aveva detto.

Con Eduardo restai in ottimi rapporti, ci scambiammo lettere fino a quando lui mi fece una straordinaria proposta: durante la sua lunga carriera aveva ricevuto centinaia e centinaia di lettere di ammiratori alle quali non aveva mai risposto. Ne voleva fare un libro che la casa editrice Mondadori avrebbe pubblicato, allora voleva mettermi a disposizione le tre casse che contenevano tutte quelle lettere, io dovevo sceglierne cento a mio piacere e a queste Eduardo ora avrebbe dato risposta. Accettai con entusiasmo ma dopo tre giorni mi comunicarono che mio padre, che si trovava ricoverato all'ospedale, aveva sì e no qualche mese di vita. Abbandonai tutto, anche il progetto di Eduardo. Sei mesi dopo la morte di papà incontrai casualmente Eduardo in via Teulada, mi guardò, non mi salutò e mi rivolse una domanda composta da una sola parola:

«Perché?».

Io infatti non gli avevo mai spiegato le ragioni del mio abbandono del progetto. Gli dissi la verità: quei pochi giorni di vita che restavano a mio padre avevo preferito passarli con lui.

«Vi capisco» disse Eduardo e mi strinse la mano.

Due anni appresso mi trovai a dirigere suo fratello Peppino in una serie televisiva intitolata *La carretta dei comici*.

Come è noto i due fratelli non si amavano, anzi, diciamola tutta, si detestavano o meglio Eduardo detestava Peppino. Peppino preferiva invece non parlare del fratello.

La serie da me diretta andò in onda ed ebbe molto successo. Un giorno uscendo da via Teulada, stavo dirigendomi verso casa, mi sentii chiamare:

«Camille'! Camille'!».

Mi fermai e mi voltai, era Eduardo che mi stava rincorrendo, gli andai incontro, sapevo che era stato operato al cuore e che gli avevano messo un pacemaker. Si fermò davanti a me ansante, poi finalmente riprese fiato, mi guardò, era serissimo, io gli chiesi:

«Come state?».

«Benino» fece lui e non aggiunse altro.

Io non sapevo che dirgli, fu lui a riaprire bocca.

«So» disse «che dopo di me avete lavorato con mio fratello Peppino.»

Fece una di quelle sue pause lunghissime, assolutamente imbarazzanti. Io non osai replicare. Avere lavorato con suo fratello Peppino era ai suoi occhi una grave colpa. Poi alzò lentamente il braccio destro, mi posò la mano su una spalla, scosse la testa con aria desolata.

«Cosa ci volete fare… la vita, eh… la vita!»

Voltò le spalle e ritornò sui suoi passi. Insomma con lui, per dirla con Manzoni, ero stato sull'altare, con Peppino ero caduto nella polvere. Proprio così andava la vita.

La fortuna

Nel retro della casa di campagna dei nonni c'era un grande cortile circondato da mura alte quasi cinque metri. Verso i quindici anni avevo trovato un nuovo amico che abitava in una casa colonica nelle vicinanze: si chiamava Mimmo e aveva la mia stessa età. Avevamo preso l'abitudine di giocare a tennis la mattina dalle dieci a mezzogiorno, naturalmente si trattava di un tennis rudimentale, non c'era la rete e le regole non erano certamente quelle usuali. Ogni tanto succedevano grandi discussioni tra noi due per l'assegnazione di un punto, spesso le discussioni si tramutavano in autentiche risse a racchettate in faccia.

Un giorno a metà del gioco Mimmo si sentì chiamare, la voce veniva dalla trazzera che costeggiava il muro più esterno del cortile.

«È mio padre» disse Mimmo, «devo andare con lui in paese. Ci vediamo domani.»

E lanciò verso di me racchetta e palle che atterrarono a quattro passi di distanza. Stavo vincendo la partita e perciò rimasi per un po' fermo con la racchetta in mano, poi mi decisi a raccogliere l'altra racchetta e la palla e ad andare a darmi una gran bella lavata, era una giornata molto calda e io mi sentivo bagnato di sudore. Avevo fatto appena due passi quando sentii un crac violentissimo e subito dopo la terra si aprì sotto i miei piedi, cacciai un urlo e precipitai, atterrai in verticale dentro un liquido che mi arrivò alla gola: era un liquido nero, vischioso ma soprattutto emanava un fetore insopportabile. Capii immediatamente che due delle assi di legno che coprivano il pozzo nero della casa e che erano a loro volta coperte da terra si erano spezzate sotto il mio peso forse perché troppo marce. La situazione mi apparve subito drammatica, sapevo che il pozzo nero era profondo tre metri, quindi se il liquame, chiamiamolo così, mi arrivava alla gola era perché le mie scarpe poggiavano su un qualche rialzo, se fossi caduto un poco più in là sicuramente sarei morto annegato perché sarei colato a picco fino a toccare il fondo. Stavo con le mani aggrappate alla parte dell'asse che si era rotta e che sporgeva, mi tenevo così forte che ebbi l'impressione che le mie dita e le mie unghie si fossero trasformate in artigli. La cosa più pericolosa era rappresentata dall'insopportabile fetore che quasi mi impediva di respirare. Provai a gridare «aiuto» ma la tensione aveva così stretto la mia gola che mi uscì solo una specie di grugnito, per fortuna non persi mai la calma. Tentai di sollevarmi appoggiandomi con tutte le mie forze al pezzo di tavola ma fu peggio perché non ce la feci, ricaddi e i miei piedi scivolarono pericolosamente sullo spuntone che evidentemente era del tutto ricoperto di melma. Ogni movimento avrebbe potuto significare la perdita dell'equilibrio. Non sapevo che fare, a quell'ora mia nonna stava affaccendata ai fornelli di cucina con la contadina che l'aiutava, troppo distanti per potermi sentire nel caso avessi recuperato la voce, sapevo che l'altra contadina era andata in paese a fare la spesa, che nonno Vincenzo se ne stava in salone a leggere il giornale e che oltretutto era sordo come una campana. Nel fare quel tuffo verticale evidentemente avevo smosso la, chiamiamola così, melma, che mi era andata a finire in parte in testa e che ora colava, ma non potevo pulirmi gli occhi perché non osavo abbandonare la presa. La situazione era oggettivamente disperata e la si fece ancora di più quando sentii che le mie ginocchia involontariamente cominciavano a piegarsi. Con uno sforzo supremo riuscii a impedire che si piegassero del tutto, in quel caso la mia testa sarebbe andata a finire sotto il pelo del liquame. Al mio paese c'è un detto: "all'annegatu petri d'incoddru", che significa "dai pietre addosso all'annegato", la cui traduzione in italiano sarebbe "al peggio non c'è mai fine". Infatti da lì a poco vidi con sommo orrore una vespa posarsi sul dorso della mia mano sinistra, non avevo modo di scacciarla in nessuna maniera, mi aspettavo che da un momento all'altro mi pungesse: quel momento venne e fu dolorosissimo, eppure riuscii a non muovere un muscolo. Sentii le lacrime cominciare a scorrere dai miei occhi: per quanto tempo, mi domandavo disperatamente, sarei riuscito a resistere? Poi, quando ormai credevo di non farcela più, passò la contadina Carmela che si recava nel pagliaio, raccolsi tutte le mie forze e lanciai un urlo. Carmela lo udì si fermò, si voltò a guardare, vide la mia testa sporgere, anche lei diede un urlo altissimo. Era una donna intelligente, capì subito cosa era successo e perciò invece di correre verso di me scappò gridando e chiamando un altro contadino che doveva trovarsi di sicuro nelle vicinanze. Cinque minuti dopo Totò, il contadino, e Carmela furono davanti a me, e lei cominciò a farmi raccomandazioni:

«Don Nenè, non si cataminassi, stassi fermo, stassi immobile, Don Nenè, che ora lo tiramo fora».

Totò intanto si era buttato pancia a terra, aveva agguantato con le sue forti mani le mie braccia e tentava di tirarmi fuori ma il liquame era così vischioso da tenermi imprigionato. Dopo alcuni vani tentativi Totò si rese conto che non ce l'avrebbe fatta.

«Tu resta 'cca!» disse a Carmela, «iu vaio a chiamari a Don Massimè.»

Carmela restò accoccolata a confortarmi, a darmi forza e coraggio, zio Massimo arrivò ansante dopo nemmeno cinque minuti e a colpo d'occhio si rese conto della situazione.

«Veni cu mmia» ordinò a Totò.

Dopo un po' tornarono reggendo una lunga e solida tavola di legno, la disposero sopra la buca dentro la quale stavo io, zio Massimo salì sulla tavola, arrivò alla mia altezza e mi staccò le mani, che non volevano lasciare la presa, aiutato da Totò, e in due riuscirono finalmente a tirarmi fuori. Appena fui al sicuro caddi sulle ginocchia, non riuscivo a reggermi in piedi, zio

Massimo, il contadino e Carmela mi portarono in una zona erbosa dell'aia, lì mi distesero e mi spogliarono nudo quindi prendendo tre secchi cominciarono a buttarmi addosso l'acqua gelida presa dal pozzo. Ogni volta che Carmela mi buttava una secchiata mi diceva:

«Don Nenè, non s'apprioccupassi, vossia sarà 'n omu fortunato picchì la merda fortuna porta, cchiù merda e cchiù fortuna».

Così riuscirono a darmi una sommaria lavata, dopodiché mi spostarono in una zona erbosa pulita e qui con degli asciugamani che nonna Elvira intanto sopravvenuta con l'altra contadina aveva portato cominciarono a pulirmi più accuratamente. Solo allora si accorsero che io avevo dei profondi graffi, tanto sui fianchi quanto sul petto e sulle spalle. Un contadino venne mandato a cavallo in paese a chiedere l'immediato intervento del medico che era un nostro cugino e del quale io ho già parlato in una di queste memorie, Gino Moscato. In attesa del suo arrivo venni portato in casa e messo su un letto, nonna Elvira aveva ricoperto il lenzuolo con un grande pezzo di tela cerata. Zio Gino arrivò con la sua auto e con la sua valigetta e addirittura con l'infermiera al seguito, il suo primo pensiero fu di disinfettare profondamente i graffi che avevo sul corpo: si trattava di trasformare i graffi in autentiche ferite, in modo che la carne si aprisse per permettere l'introduzione del disinfettante. Devo confessare che il dolore era tanto che non smisi di piangere finché, finita l'opera di disinfezione, zio Gino mi sparò non meno di cinque iniezioni e poi mi diede anche diverse pillole da inghiottire in seguito.

Disse che verso le cinque del pomeriggio sarebbe tornato a vedermi ma che se per caso mi fosse cominciata un po' di febbre dovevamo avvertirlo subito. La febbre non mi venne, zio Gino quando tornò nel pomeriggio ci rassicurò che probabilmente erano intervenuti a tempo e quasi sicuramente non si sarebbe manifestata nessuna infezione. Passai una notte tranquilla, l'indomani mattina nonna Elvira venne a svegliarmi, cominciò ad annusarmi, mi disse:

«Lo sai che ancora non odori di pulito?».

Se ne andò in camera sua, tornò con una boccia di acqua di lavanda e con del cotone imbevuto di quell'acqua mi strofinò accuratamente ogni parte del corpo. Era dal giorno avanti che non mangiavo ma non sentivo nessun appetito, quando nonna si presentò con un piatto di spaghetti io mi alzai a mezzo del letto e portai in bocca la prima forchettata: non l'avessi mai fatto, subito dopo mi venne da vomitare, rigettai ogni cosa. Per due giorni di seguito non ce la feci a mangiare, qualsiasi cosa portassi in bocca mi suscitava conati di vomito, solo al terzo giorno riuscii a mangiare un po' di frutta fresca. Dopo una settimana mi sentii guarito completamente.

Adesso che a novant'anni è arrivata l'età dei bilanci devo confessare di avere avuto una vita felice in tutti i sensi, nel matrimonio, nel lavoro: forse che davvero come aveva detto Carmela, quel bagno nella, diciamo così, melma mi aveva portato fortuna?

Gipi

Borg Pisani

Verso la metà del mese di maggio del 1942, tra le altre navi da guerra che spesso venivano a sostare nel nostro porto arrivarono anche la torpediniera Abba con quattro MAS di scorta. Un tardo pomeriggio l'attendente di papà, che allora era alla Capitaneria di porto, venne ad avvertire mamma che quella sera avremmo avuto un ospite a cena. Capitava frequentemente che papà portasse a casa personaggi, ai miei occhi estremamente interessanti, perché si trattava quasi sempre di ufficiali della Marina Militare che comandavano navi da guerra o sommergibili e che durante la cena raccontavano le loro imprese di battaglia. Storie che mi eccitavano tanto che io la notte non riuscivo a prendere sonno. Quella sera papà portò a casa un trentenne in borghese piuttosto trasandato, occhialuto, spettinato e ce lo

presentò come il tenente Micheletto del Genio Militare. Era venuto, aggiunse, per ispezionare le ostruzioni
portuali. Durante la guerra, infatti, tutte le entrate nei
porti erano protette da reti d'acciaio sommerse per impedire l'accesso di sommergibili nemici in immersione.
Mamma chiese al tenente come facessero a proteggere
imboccature di porti più grandi come quello di Genova
o di Napoli: a tale domanda il tenente, evidentemente
imbarazzato, bofonchiò qualcosa, fu papà a toglierlo
d'impaccio rimproverando mamma di fare domande
inopportune oltretutto protette dal segreto militare. Il
tenente non amava evidentemente parlare molto di sé
ma comunque ci disse che era nato a Malta, che aveva
preso la cittadinanza italiana rinunciando a quella inglese e che nella primissima giovinezza avrebbe voluto
fare il pittore e aveva perciò frequentato l'Accademia
di Belle Arti di Roma, poi aveva cambiato idea. Al momento dei saluti io gli porsi la mano e lui invece di
stringermela si chinò e mi abbracciò baciandomi sulle
guance. Fino a quel momento si era dimostrato chiuso
in sé e molto riservato, quell'abbraccio così affettuoso
mi colpì. Papà disse:

«Accompagno il tenente al porto e poi torno».

Io mi misi a ripassare le lezioni per l'indomani,

mamma cominciò a ordinare la cucina e dopo una mezz'oretta papà tornò.

«Mi è parso un uomo un po' strano quel tuo Micheletto» disse mamma.

Io me ne stavo con gli occhi chiusi, la testa appoggiata alle mani intrecciate sul tavolo, sembrava che dormissi e papà infatti lo credette. Per rispondere a mamma abbassò solamente la voce.

«Prima di tutto» rispose, «non si chiama Micheletto ma Borg Pisani. Come ti ha detto è nato a Malta ed è un irredentista. L'ho conosciuto» continuò papà «due anni fa quando venne per fare una specie di censimento degli oriundi maltesi, qui ce ne siamo tanti: i Camilleri, gli Hamel, i Cassar, i Bouhagiar. Li voleva convincere a diventare irredentisti ma non ebbe molta fortuna.»

«E perché è tornato?» domandò mamma.

«Perché stanotte si imbarca sull'Abba per Malta. Vi sbarcherà clandestinamente come agente segreto del SIM (Servizio Informazioni Militari), è stato incaricato di una missione ricognitiva. Mi ha lasciato una lettera nel caso non ritorni che mi ha chiesto di spedire tra quattro mesi.»

A sentire il nome di Borg Pisani sussultai, negli ultimi tempi mi era capitato di leggere alcuni suoi articoli apparsi su riviste fasciste, la sua idea era chiarissima: egli accusava gli inglesi di star snaturando gli usi, i costumi, in una parola la cultura dei maltesi e che perciò dovevano essere cacciati via per far sì che Malta potesse diventare uno stato libero e indipendente in strettissimo rapporto con l'Italia. Le sue idee, naturalmente, trovavano larghissimo consenso presso Mussolini.

Quella notte non feci che rivoltarmi nel letto, avevo cenato con un autentico agente segreto, non come in uno dei fumetti tipo l'Agente segreto X-9.

Alla fine di settembre dello stesso anno mentre cenavamo papà disse a mamma che non avendo più avuto notizie di Micheletto aveva spedito la lettera che questi gli aveva consegnato.

Nel febbraio del 1943 i giornali riportarono la notizia che alla memoria di Carmelo Borg Pisani, il Re Vittorio Emanuele III aveva concesso, motu proprio, la medaglia d'oro al Valor Militare. Nella motivazione si diceva che Borg Pisani era stato fucilato dagli inglesi.

In realtà, come venni a sapere dopo la guerra, Borg Pisani non era stato fucilato, le cose erano andate così: Pisani era riuscito a sbarcare in una zona scogliosa di Malta senza essere notato da nessuno, aveva trovato rifugio in una grotta che conosceva sin da quando era

bambino, qui aveva trasportato i viveri e l'equipaggiamento, tra cui una ricetrasmittente, ma la notte seguente era scoppiata una violenta tempesta, le ondate
altissime erano penetrate fin dentro la grotta trascinando via i viveri e l'equipaggiamento, nel tentativo di
salvare qualcosa Pisani si era lanciato in mare ma era
stato sbattuto contro gli scogli ferendosi gravemente.
Così, dopo due giorni, fu costretto a chiedere aiuto ad
una barca di passaggio e venne condotto nel porto di
La Valletta, non disse naturalmente il suo vero nome e
si spacciò per un naufrago, venne ricoverato nel locale
ospedale dove gli offrirono le prime cure. Due giorni
appresso venne riconosciuto da un tenente inglese che
era stato suo compagno di infanzia a Malta, l'inglese
non esitò un momento a denunziarlo, così Pisani venne dichiarato prigioniero e trasferito nell'infermeria
del carcere militare. Appena che si fu ripreso dalle ferite riportate fu condotto davanti al tribunale militare
inglese che lo accusò di alto tradimento e di spionag-
gio. Durante il processo, che si svolse a porte chiuse
per evitare le reazioni dei maltesi irredentisti e filofa-
scisti che nell'isola erano ancora tanti, il difensore di
Pisani chiese due cose: la prima era di considerare e di
conseguenza trattare il suo difeso come un prigioniero

di guerra e inoltre sostenne che l'accusa di tradimento non era valida avendo da lungo tempo Pisani chiesto e ottenuto la cittadinanza italiana. Le ragioni portate dalla difesa vennero tutte respinte dal tribunale. Così Pisani fu condannato a morte e come ultimo sfregio il tribunale decretò che la morte gli sarebbe stata data non per fucilazione ma per impiccagione.

Ancora oggi Pisani appare come una figura complessa e controversa ma a distanza di tanti anni il suo caldo abbraccio d'addio ancora mi commuove.

Il gatto milionario

Il mio amico Gigi Quattrucci era un avvocato civilista presso il Tribunale di Roma. O meglio, era un avvocato part time nel senso che metà della giornata era dedicata alle varie questioni giudiziarie di cui si occupava, l'altra metà della giornata, invece, era dedicata alla sua vera passione: il teatro. Infatti in gioventù aveva preso il diploma di attore presso l'Accademia Nazionale d'Arte Drammatica e quindi si era fatto scritturare da una compagnia di giro, aveva dato sfogo alla sua passione per quattro o cinque anni, dopodiché era rientrato nei ranghi cominciando appunto a fare l'avvocato. Ma ogni tanto riusciva a prendere parte a piccole tournée con compagnie dirette da registi amici, era anche un drammaturgo. Io lo conobbi perché feci la regia alla radio di una commedia da lui scritta, diventammo subito amici e insieme partecipammo anche a qualche avventura teatrale.

Spesso il Tribunale di Roma lo incaricava di occuparsi delle cosiddette "eredità giacenti". Quando una persona moriva senza aver fatto testamento e senza che si fossero presentati eredi, Quattrucci aveva il compito di scovare eventuali eredi e censire il patrimonio del morto, quindi, nel caso che non si fosse palesato nessun pretendente all'eredità, egli doveva vendere i beni del defunto e il ricavato darlo allo Stato. Succedeva che, assai spesso, egli doveva entrare accompagnato da un ufficiale giudiziario in qualche appartamento dove solo qualche ora prima il proprietario era passato, come si usa dire, a miglior vita e spesso mi raccontava delle sorprese che vi trovava.

Per esempio, nel soppalco della cucina di una casa abitata da un cinese aveva trovato ben duecento paia di scarpe ancora dentro le loro scatole, ma si trattava di quelle scarpe dette "duilio" con la pelle in bianco e nero molto in voga durante gli anni Trenta; un'altra volta aveva trovato una camera completamente piena di cassette di legno sopra ognuna delle quali un foglietto ne indicava il contenuto, e i foglietti avevano diciture di questo tipo: CONTIENE TAPPI DI BOTTIGLIA DI

BIRRA GIÀ APERTI oppure CONTIENE PEZZETTI DI SPAGO AS-SOLUTAMENTE INUTILIZZABILI oppure ancora CONTIENE BOTTONI. Devo confessare che quest'ultima storia mi diede lo spunto per un racconto di Montalbano che io intitolai *Pezzetti di spago assolutamente inutilizzabili.* Un'altra volta mi raccontò che era entrato nell'appartamento minuscolo, composto da due stanzette, bagno e cucina, che era di proprietà di una ex prostituta molto anziana, da tempo ritiratasi dal giro. La stanza da letto della donna era completamente invasa da centinaia di minuscoli oggetti: statuine, soprammobili eccetera tanto che l'ufficiale giudiziario si perdette d'animo.

«Per inventariare tutta questa roba» disse «ci vogliono almeno tre giorni.»

Intanto era salita la portinaia la quale si mise a spostare mobili e a guardare nei posti più nascosti della casa.

Gigi le domandò cosa cercasse e lei rispose che l'ex prostituta aveva una gattina alla quale era affezionatissima. Ora la gattina, dopo la morte della sua padrona, si era nascosta in qualche parte della casa e lei non riusciva a trovarla, ad ogni modo disse a Gigi che nel caso si fosse fatta viva lei aveva pulito la lettiera che si trovava in cucina, rinnovata l'acqua della ciotola e messa un po' di carne in un vecchio piatto. Quando la portinaia se ne andò, Gigi si recò in cucina e vide che la gatta non aveva toccato il cibo, allora ebbe un'idea: lasciando l'ufficiale giudiziario solo ad inventariare, scese in strada comprò due scatole di cibo per gatti e risalì, buttò la carne che c'era e la sostituì col contenuto fragrante di una scatola. Per quella mattina il lavoro era finito, si ridiedero appuntamento per la mattina dopo. Quando Gigi tornò in quella casa notò che la lettiera era sporca ma che il cibo era rimasto intatto, gli parve anche che non si fosse abbassato il livello dell'acqua da bere, insomma la gatta si rifiutava di mangiare. Pulì la lettiera e tornò per il terzo e ultimo giorno. Terminato l'inventario, prima di lasciare l'appartamento Gigi aprì un'altra scatola, rinnovò l'acqua, pulì la lettiera e se ne andò, in quella casa sarebbe tornato la settimana appresso. Passati sei giorni aprì la porta dell'appartamento, andò in cucina: il cibo era ancora tutto lì ma putrefatto però, entrando nella stanza da letto vide che sopra alla coperta c'era la gatta tanto cercata, vi si avvicinò e si accorse che era morta stecchita, si era lasciata morire di fame e di sete per amore della sua padrona e sul suo letto era andata ad aspettare la fine.

Ma Gigi ebbe un'altra storia con un gatto e questa volta anche io ne fui coinvolto. Era morto un barbone che viveva di elemosina e che abitava sul terrazzo di un condominio nei pressi di piazza Cavour. Gigi mi invitò ad andare con lui per farmi vedere la singolarità dell'arredamento che si trovava nello sgabuzzino sul terrazzo che la pietà dei condomini aveva messo a sua disposizione. Arrivammo sul terrazzo, lo sgabuzzino in muratura doveva essere stato in origine una sorta di lavatoio, l'arredamento era fatto da giornali, pacchi di giornali legati con lo spago costituivano il letto e il cuscino, una piccola scrivania era stata costruita sempre con pacchi di giornali, allo stesso modo erano stati fabbricati due sedie e due sgabelli. Tutto di carta. In un angolo era teso un filo di ferro dal quale pendevano un consunto vestito di ricambio sotto al quale ci stava un paio di scarpe altrettanto consunte, tutto però era pulitissimo. In un angolo vicino alla porta ci stavano due ciotole per terra, in una c'era ancora dell'acqua, appena fuori dalla porta c'era una lettiera pulita, si vede che il barbone possedeva un gatto che gli faceva compagnia. Stavamo per andarcene quando Gigi, per vedere meglio la foto che stava nella parte esterna del cuscino lo prese in mano, e con grande sorpresa vedemmo che dall'interno del cuscino, tutto fatto di giornali, era scivolata fuori una lettera chiusa. Gigi si chinò, la prese e l'aprì, era scritta di pugno dal barbone e diceva esattamente:

"Io sottoscritto Filippo De Maria lascio milioni cinque contenuti in un libretto di risparmio del Credito Italiano a chi si prenderà cura del mio gatto Mario di cui accludo la fotografia. In fede".

Seguiva la firma.

La fotografia mostrava un bel gatto dal pelame bianco contraddistinto dal fatto che le quattro zampe erano di colore rossastro, pareva indossasse dei calzini. Nella lettera c'era un post scriptum che diceva: "Il libretto si trova all'interno della mia scrivania".

«Che facciamo?» domandai a Gigi.

«Per prima cosa troviamo il libretto» mi rispose, mettendosi a slegare lo spago che teneva insieme i giornali che formavano la scrivania. Dopo un quarto d'ora di ricerca il libretto venne fuori, lo controllammo: effettivamente vi era segnata la somma totale di cinque milioni, cifra raggiunta attraverso numerosi versamenti. Ci mettemmo a cercare il gatto sulla terrazza, lo chiamammo in diversi modi ma nessun gatto si fece vivo. Gigi ebbe una pensata geniale:

«Se il gatto riusciamo a trovarlo noi due, possiamo tenercelo a turno e dividerci questi cinque milioni».

A quell'epoca cinque milioni francamente erano una grossa cifra ma bisognava pensare a un piano per far sì che il gatto tornasse nei paraggi. Stabilimmo di rivederci sulla terrazza al tramonto muniti delle esche necessarie a stanare il gatto. Le esche naturalmente consistevano in varie scatole di cibi per gatti che aprimmo e il cui contenuto spargemmo per tutto il terrazzo fin sopra i bordi e quindi seduti su due sedie di carta aspettammo che venisse la sera. Appena calò il buio noi, muniti di pile tascabili, cominciammo a vedere arrivare ombre di gatti, a decine. Ogni tanto accendevamo la luce, davamo una rapida occhiata e non riuscimmo per le due ore che restammo ad aspettare a vedere nessun gatto bianco, pareva si fossero passati la parola, solo gatti tigrati grigi, rossi. Decidemmo di ripetere l'esperimento la sera seguente e finalmente dopo un'ora di lunga attesa vicinissimo a noi apparve un gatto bianco. Era troppo buio per distinguere se avesse i calzini rossi, con un salto acrobatico Gigi lo placcò, riuscì ad agguantarlo, ma il gatto lo morse e lo graffiò tanto che dovette lasciarlo ma ebbe il tempo di vedere che non aveva calzini rossi. Gigi aveva le

mani insanguinate. L'essere stati così vicini alla conclusione vittoriosa della nostra impresa fece sì che ci
ripresentassimo per la terza sera ma stavolta Gigi si era
premunito, aveva portato una lunga canna in cima alla
quale era legata una rete tipo quella dei cacciatori di
farfalle, ma assai più robusta, e insieme si era infilato
nella cintura dei pantaloni un paio di guanti da giar-
diniere. Ebbene, quella terza sera nessun gatto bianco
si presentò come la prima volta. Scendemmo mesti e
appena fuori dal portone ci fermammo a decidere se
era il caso di continuare la caccia al gatto milionario o
se abbandonarla del tutto. Proprio accanto al portone
c'era un negozio di libri usati. Il proprietario, che stava
ripulendo la vetrina, aveva ascoltato il nostro discorso
e a un tratto intervenne:

«State per caso parlando del gatto del barbone che
abitava sulla terrazza?».

«Sì.»

«Ma guardate che è stato portato via» ci disse.

Restammo di sasso.

«E chi se l'è portato via?» domandò Gigi.

«Io ero amico di Filippo» rispose il libraio, «il pomeriggio del giorno avanti la sua morte lo venne a trovare un altro barbone ma quando ridiscese mi accor-

si che teneva in braccio il gatto Mario e avendogli io chiesto perché se lo stesse portando via egli mi rispose che il suo amico l'aveva pregato di tenerselo per qualche giorno perché non sentendosi bene, se ne sarebbe stato a letto e quindi non poteva accudirlo a dovere.»

La conclusione quindi era che il gatto era stato affidato dal barbone all'amico solo in via provvisoria quindi un giorno o l'altro quest'ultimo si sarebbe ripresentato per riconsegnare il gatto all'amico; ma potevamo stazionare per giorni e giorni sul tetto di una casa in attesa del ritorno del gatto milionario?

Gigi prima di salutare il libraio gli rivolse una domanda:

«Ma lei a questo amico di Filippo l'aveva mai visto prima?».

«Sì» fece il libraio, «so anche il suo nome e so che dorme sulle rive del Tevere sotto ponte Matteotti.»

Decidemmo sull'istante di andare a cena e ritrovarci verso le dieci di sera sul ponte Matteotti per iniziare le ricerche del barbone. Quando scendemmo giù di barboni ne vedemmo due o tre, forse era troppo presto così risalimmo e andammo a sederci a un caffè discorrendo del più e del meno. Quando si fece la mezzanotte tornammo di nuovo giù, stavolta i barboni distesi a dormire tra cartoni, consunte coperte, vecchi cappotti eccetera erano una ventina, alcuni dormivano, altri parlavano tra di loro. Ci avvicinammo a questi ultimi.

«Conoscete per caso un vostro amico che dorme da queste parti e che in questi giorni ha portato un gatto?»

Non avevano visto nessun gatto, allora ci azzardammo con coloro che dormivano, la loro prima reazione fu quella di mandarci al diavolo (gentile eufemismo), poi anche loro dissero che non avevano visto nessun gatto. Che fare? Ce ne tornammo a casa.

Il giorno dopo Gigi mi telefonò.

«M'è venuta in mente la soluzione» mi disse, «ho portato in tipografia la foto del gatto, faccio fare un migliaio di manifestini con la foto e con la scritta: "Chiunque sia in possesso di questo gatto si rechi portandolo con sé presso lo studio dell'avvocato Quattrucci o telefoni al seguente numero… Lauta ricompensa". Saranno pronti nel pomeriggio, stasera possiamo affiggerli, prendo io il materiale necessario.»

Perdemmo tre ore di sonno per affiggere i manifesti lungo tutte le due rive del Tevere, tornammo a casa esausti. Verso mezzogiorno mi telefonò Gigi: «Andrea, sto impazzendo, qui si sono presentati decine di barboni ognuno con un gatto in mano ma nessuno corrisponde al gatto Mario. Tentano di imbrogliarmi, non solo ma il telefono trilla in continuazione, vieni a darmi una mano per favore.»

Andai nel suo studio e ci dividemmo i compiti: lui riceveva i barboni e io rispondevo al telefono. Lavorammo intensamente per tutto il giorno e non arrivammo a nessuna conclusione. Risposi alle telefonate più assurde; uno mi descriveva un gatto che aveva i calzini neri mentre invece il nostro Mario li aveva rossi, un altro mi diceva che aveva un gatto con i calzini rossi sì ma anche un po' di pelo rosso sul dorso e non era il caso di Mario. Ricevetti insomma decine di descrizioni diverse di gatti. La processione e le telefonate cominciarono a diradarsi dopo due giorni, poi finalmente cessarono del tutto e a Gigi non restò altro da fare che andare a incassare i cinque milioni e consegnarli al Tribunale di Roma.

Luciano Liggio

Agli inizi del 1987 il primo canale televisivo della Rai trasmise uno sceneggiato intitolato *Un siciliano in Sicilia* del quale io avevo scritto il soggetto e che poi avevo sceneggiato in collaborazione con Antonio Saguera e il regista Pino Passalacqua. Il mio soggetto prendeva lo spunto da un fatto veramente accaduto: alcuni mesi prima dello sbarco in Sicilia degli Alleati avvenuto, come si sa, ai primi di luglio del 1943, era arrivato clandestinamente nell'isola un giovane avvocato statunitense di origine siciliana, egli aveva la missione di contattare gli antifascisti e gli esponenti dei partiti politici che il fascismo aveva abolito in modo che potessero essere in grado di coprire le varie cariche istituzionali non appena l'isola liberata avesse riconquistato le libertà democratiche. Senonché una volta avvenuto lo sbarco, il povero avvocato, che aveva attraversato una gran quantità di disavventure, si vide messo da parte dagli alti esponenti militari dell'AMGOT (Amministrazione militare alleata dei territori occupati) i quali, tout court, designarono come sindaci e assessori noti personaggi mafiosi che fino allora erano stati, come si usa dire, in sonno. Insomma avvenne il curioso fenomeno che con l'arrivo della libertà la mafia in Sicilia assunse in prima persona il potere. Tanto per fare un esempio, in ben trenta Comuni nella sola provincia di Palermo diventarono sindaci mafiosi di chiara fama e di tutto rispetto.

Il mio sceneggiato suscitò parecchie discussioni anche tra politici ma era innegabile che gli americani, prima dello sbarco, avevano stretto un'alleanza con i mafiosi. Infatti si disse che alcuni esponenti di questa organizzazione erano stati paracadutati in Sicilia prima dello sbarco così come aveva fatto il mio disgraziato avvocato.

Una settimana dopo la messa in onda dello sceneggiato, ricevetti una strana telefonata.

«Sono l'avvocato Emilio De Rosa e vorrei parlare con il dottor Andrea Camilleri.»

«Sono io, mi dica.»

«È lei che ha scritto il soggetto di *Un siciliano in Sicilia?*»

«Sì.»

«Senta, io sono l'avvocato personale di Luciano Liggio, le trasmetto i suoi complimenti.»

Rimasi inebetito e francamente sorpreso, il corleonese Luciano Liggio (in realtà si chiamava Leggio) era un criminale mafioso soprannominato "la primula rossa" per la sua agilità nelle fughe e per le sue clamorose evasioni. Fin da giovanissimo si era messo agli ordini del capomafia locale, Michele Navarra, e ben presto si era dato al furto di bestiame e alla macellazione clandestina uccidendo senza nessuno scrupolo chiunque osasse contrastarlo. Il suo primo omicidio fu quello di una guardia giurata che aveva osato denunziarlo alla polizia. In brevissimo tempo ebbe a sua disposizione una decina di gregari e i suoi affari si allargarono fino a concorrere ad opere pubbliche. Fu per la costruzione di una diga che egli venne in contrasto con il suo capo Navarra, non esitò a farlo fuori mentre questi tornava a casa in auto. Negli anni seguenti, tra i vari delitti da lui commessi, venne accusato dell'omicidio del sindacalista Placido Rizzotto e del procuratore capo Scaglione, nelle sue imprese cri-

minali si servì di due primi aiutanti: uno era Totò Riina, l'altro Bernardo Provenzano. Fu con quest'ultimo
che compì la strage di via Lazio a Palermo per elimi-
nare Michele Cavataio e i suoi uomini che costituivano una banda rivale. Liggio, Provenzano e altri due
uomini si presentarono nel garage di via Lazio, che
era la roccaforte di Cavataio, travestiti da carabinieri
e Provenzano approfittò dell'istante di smarrimento
degli avversari per eliminarli a colpi di mitra. Da allora Provenzano venne soprannominato "'u tratturi"
perché come ogni trattore non lasciava dietro di sé un
filo d'erba. Nell'omicidio del procuratore Scaglione,
Liggio invece si servì dell'aiuto di Totò Riina. Arrestato e processato a Bari venne inspiegabilmente assolto
per insufficienza di prove, allora si trasferì a Milano
dove ben presto organizzò il sequestro di noti indu-
striali, tra cui Rossi di Montelera, a scopo di riscatto.
Finalmente nel 1975 venne arrestato e condannato
all'ergastolo.

Quando ripresi fiato balbettai:

«Me lo ringrazi tanto».

«Ancora una cosa» disse l'avvocato, «Luciano avrebbe piacere di incontrarla.»

«E dove?»

«Naturalmente nel carcere dell'Ucciardone. Guardi, gli hanno concesso una cella attigua che fa da salotto. Lo sa, Luciano negli ultimi tempi si è molto avvicinato alla cultura: legge tanto e c'è un professore di Filosofia dell'università che viene regolarmente, due volte la settimana, a fargli lezione. Si è messo anche a dipingere.»

«Va bene» dissi «ma perché vuole vedermi?»

«Luciano è rimasto incantato del suo sceneggiato. Ha detto che lei è un uomo che capisce molte cose e perciò vorrebbe vederla per rivelarle alcune verità che non sono state dette al processo. Se lei me lo consente io verrei a Roma dopodomani, potremmo incontrarci al caffè Canova alle cinque del pomeriggio, le va bene?»

Non esitai un istante, incontrare un personaggio simile mi incuriosiva molto.

«D'accordo» risposi.

Quella sera stessa, raccontai della telefonata ad Antonio Saguera, cioè a dire ad uno dei due cosceneggiatori. In realtà Antonio Saguera era lo pseudonimo di un altissimo magistrato che si chiamava Gaetano Suriano e che era anche un eccellente uomo di spettacolo.

«Come devo comportarmi davanti a Luciano?»

«Devi fargli una premessa» mi suggerì Suriano, «gli devi dire che non deve raccontarti cose che la Giustizia non sappia già. Che ti dica pure dettagli, particolari ma devono essere cose che risultano scritte negli atti processuali. Così non vieni a conoscenza di notizie che potrebbero essere pericolose anche per te.»

Mi presentai all'appuntamento puntualissimo, davanti al caffè Canova sostava un automobile che pareva facesse parte di un film anni Trenta, si trattava di una Rolls-Royce bianca, enorme, di quelle con la ruota di scorta a vista appiccicata dietro il cofano posteriore, dentro ci stava un ometto bassino, sessantenne, vestito tutto di nero. Mentre io mi fermavo incuriosito, come tanti altri, a guardare quell'auto vistosa, il bassino aprì la portiera, scese e mi si avvicinò.

«Lei è il dottor Camilleri, vero? Sono l'avvocato De Rosa.»

Ci stringemmo la mano.

«Abbia pazienza un momento, sto aspettando Giovannino.»

Non domandai chi fosse, dopo poco uscì dal Canova un giovane trentacinquenne, alto magro ricciuto, che si diresse verso di noi.

«Giovanni', com'è?» domandò l'avvocato.

Giovannino scosse la testa.

«Non mi pare cosa.»

«Allora» fece l'avvocato «andiamo a via Veneto.»

Giovannino si mise alla guida, noi due ci sedemmo dietro. L'avvocato non aprì bocca, arrivati a via Veneto Giovannino fermò davanti al Café de Paris.

«Questo» disse «potrebbe essere il posto giusto.»

Scese, noi restammo in macchina, tornò dopo un attimo e senza dire parola aprì lo sportello dell'auto. Giovannino ci guidò a un tavolo, ci sedemmo e io mi resi conto che nella posizione in cui si trovava Giovannino egli poteva vedere davanti a sé un grande specchio che rifletteva l'entrata del caffè. Fu in quel momento che mi accorsi, cercando nelle tasche, che avevo dimenticato a casa le sigarette.

«Cerca qualcosa?» mi domandò l'avvocato.

«Sì, non ho le sigarette.»

«Che fuma?»

«Philip Morris morbide.»

«Giovannino vagliene a comprare un pacchetto al dottore e torna subito.»

Giovannino si alzò e uscì, l'avvocato commentò:

«Sa, Giovannino, mi è indispensabile perché, se per esempio il naso mi comincia a colare, chi me l'asciuga?

Giovannino» continuò «è un picciotto d'oro, servizie-
vole, bravo discreto ma ha un solo difetto».

«Quale?»

«Non regge alla vista del sangue. Sviene. È delicato
e sensibile.»

Tornò Giovannino, mi accese una sigaretta.

«Andiamo al dunque» disse l'avvocato, «a Luciano preme dichiarare che lui col delitto Scaglione non
c'entra niente. I giudici non hanno voluto sentirlo su
questo argomento ma vede, Luciano ha sempre voluto
essere presente, non ha mai mandato altre persone a
fare qualcosa in suo nome. La sera in cui ammazzarono
il procuratore, Luciano era distante cento chilometri e
può dimostrarlo, così come non sono neppure esatti
alcuni dettagli che riguardano i motivi dell'uccisione
di Rizzotto. Le sottolineo qui un fatto assolutamente
trascurato, il primo delitto di cui Luciano venne accusato fu quello di una guardia giurata, se lo ricorda?»

«Sì» ammisi.

«Ebbene lo sa dove venne arrestato la prima volta
Luciano tre anni dopo quell'omicidio?»

«No, non lo so, me lo dica lei.»

«Venne arrestato nella casa della vedova dell'uomo
che Luciano avrebbe ucciso. Questa donna era stata,

prima che si sposasse con la guardia, la fidanzata di Luciano. Capisce come molte storie hanno dei risvolti diversi da quelli che appaiono?»

«Va bene» dissi, «avvocato, io sono disposto ad incontrarlo ma in che modo potrei essergli utile?»

Non ci pensò su un istante.

«Luciano vorrebbe che lei scrivesse uno sceneggiato su di lui con la stessa intelligenza e lo stesso acume che ha dimostrato nello sceneggiato trasmesso pochi giorni fa.»

«Non so» risposi «se alla Rai accetteranno un soggetto simile, ma ad ogni modo posso provarci.»

«Allora restiamo d'accordo così» fece l'avvocato, «fra una settimana le ritelefono per stabilire la data dell'incontro. Ho saputo che lei si è trovato per caso al centro di una strage di mafia al suo paese e ne è uscito fortunatamente incolume. Si è molto spaventato?»

«Certamente» risposi, «chi è che non si sarebbe spaventato a vedere uccidere sei persone?»

Sorrise.

«Giovannino di sicuro sarebbe morto di spavento.»

Giovannino alzò il braccio destro, la mano aperta e l'agitò nell'aria come a scacciare lontano da sé un'immagine terribile. Chiacchierammo ancora una decina di minuti, poi ci alzammo e venni accompagnato a casa con quella lussuosa, incredibile Rolls-Royce.

Attesi con una certa ansia la telefonata, devo confessare che l'incontro con Liggio mi eccitava, invece dovetti aspettare ancora due settimane prima che l'avvocato De Rosa si facesse vivo.

«Luciano è desolato di averle fatto perdere del tempo ma si è informato e ha avuto una risposta negativa.»

«Scusi» dissi, «su cosa si è informato?»

«Sull'eventualità da lei accennata che la Rai non accettasse uno sceneggiato su di lui e ha avuto la conferma del suo dubbio, la Rai non lo trasmetterebbe mai.»

«Allora?»

«Allora l'incontro è inutile, lo capisce vero?»

«Capisco benissimo, me lo saluti tanto e gli faccia i miei migliori auguri.»

Due mesi dopo andai in Sicilia, comprai il giornale, presi a sfogliarlo e a un certo momento mi colpì una grande fotografia, ebbi l'impressione di aver visto già quel volto, lo guardai con maggiore attenzione: era la faccia di Giovannino, il titolo diceva: "Rinvenuto il cadavere di uno dei più feroci killer di mafia Giovannino XXX ucciso a colpi di mitra".

Il Paradiso a mille lire

Nel 1960 Eduardo De Filippo dopo lunghe ed este-
nuanti trattative con la Rai accettò, come ho già rac-
contato, di portare otto tra le sue migliori commedie in
televisione. Il sì di Eduardo costituiva un importante
risultato per la nostra televisione, allora tutti gli intellettuali più o meno di sinistra disdegnavano il mezzo
televisivo, non partecipandovi in nessun modo né con
loro lavori né come sceneggiatori. Se fosse andata bene
in porto l'operazione Eduardo, di certo coloro che fino
al giorno prima si erano rifiutati di collaborare avrebbero cambiato atteggiamento.

In qualità di esperto di teatro venni designato come
"delegato alla produzione". Era una figura nuova
nell'organigramma, il produttore delegato era l'unico
responsabile del programma, aveva ampi poteri: dalla

scelta del regista e degli attori, alla designazione degli scenografi dei costumisti eccetera. Sapeva di avere
un budget già prefissato da non sforare assolutamente
e avrebbe dovuto consegnare il prodotto finito e già
pronto per essere mandato in onda ad una data stabilita. Nel maggio di quello stesso anno presi contatto con
Eduardo che allora abitava a Roma e il primo colpo
di fortuna fu che riuscimmo simpatici l'uno all'altro.
Cominciammo a ragionare su chi potesse essere il regista e io gli feci il nome di Stefano De Stefani che egli
subito accettò. Dato che la direzione artistica era tutta
di Eduardo, De Stefani si sarebbe dovuto limitare solo
alla ripresa in studio di ciò che Eduardo suggeriva, si
trattava insomma per De Stefani di un lavoro stretta-
mente tecnico. Dopo due o tre incontri Eduardo mi
comunicò che aveva numerosi impegni a Napoli e che
avremmo potuto rivederci per fare il piano di produzione solo il 10 luglio.

«Dove ci vediamo?» domandai.

«Io, dal primo di luglio, me ne starò a Isca.»

Non avevo mai sentito nominare quel paese.

«Dov'è?»

«È un'isola di mia proprietà nell'arcipelago dei Gal-
li, proprio di fronte a Positano.»

«E come ci si arriva?»

«Ci si arriva partendo dal paese più vicino all'isola che si chiama Nerano.»

«E a Nerano come ci si arriva?»

«Nerano attualmente è del tutto isolata, perché è franata la strada provinciale. Ci si arriva via mare, voi dovete prendere il vaporetto Napoli-Positano, scendete a Nerano e da lì qualcuno vi accompagnerà in barca fino all'isola.»

Il 9 di luglio andai a Napoli, mi recai al punto di partenza del vaporetto e chiesi un biglietto per Nerano. L'impiegato allo sportello, nel consegnarmelo, mi disse:

«Quando siete a bordo avvertite il comandante».

Appena salito un marinaio mi chiese il biglietto.

«Voi scendete a Nerano?»

«Sì.»

«Lo dirò al comandante.»

Io naturalmente ero in tenuta estiva, indossavo una camicetta a maniche corte, dei pantaloni leggeri e un paio di sandali e con me portavo la valigia con la biancheria di ricambio, avevo previsto di fermarmi per due giorni. Dopo un po' che navigavamo e io ero incantato alla vista della Costiera, una voce all'altoparlante disse:

«Il viaggiatore che deve scendere a Nerano vada a poppa».

Presi la mia valigia e andai a poppa, contemporaneamente il vaporetto emise un lungo fischio fermandosi, io mi guardai attorno stupito: non vedevo altro che una spiaggia ampia, dorata sulla quale c'erano solo tre costruzioni, a destra una piccola baracca di legno, al centro un palazzo settecentesco a un piano pendente tutto da un lato perché metà era sprofondata nella sabbia, a sinistra montata su palafitte ci stava un'altra costruzione in legno sulla quale campeggiava a caratteri cubitali la scritta RISTORANTE. Intanto dalla riva si era staccata una barca con a bordo il barcaiolo, l'imbarcazione arrivò dopo dieci minuti sotto la poppa del vaporetto, venne buttato fuori una specie di scalandrone, il barcaiolo prese la mia valigia, io scesi, il barcaiolo cominciò a remare verso la riva e il vaporetto ripartì. Quando toccammo la sabbia io saltai giù e aiutai il barcaiolo a tirare la barca sulla spiaggia, egli ricambiò la cortesia.

«Vi accompagno all'albergo» disse prendendomi la valigia.

«Quanto vi devo?» domandai.

«Mille lire» rispose.

Mentre intascava il danaro gli chiesi:

«Ma l'albergo dov'è?».

Lui mi indicò il palazzo pencolante e mi disse:

«È quello».

Entrammo.

La hall consisteva in un vasto stanzone, il banco della reception era costituito da un grande tavolo nero di noce, dietro ci stavano dieci caselle numerate con le rispettive chiavi. Vidi così che le stanze dell'albergo erano dieci e che mancava solo la chiave della numero 1. La hall era completamente deserta, allora il barcaiolo si mise a gridare:

«Pasqua'! Pasqua'!».

Dopo un po' una voce lontanissima rispose:

«Arrivo!».

Pasquale, un uomo grassoccio, con i pantaloncini corti, scalzo e con una camicia dalle maniche arrotolate, si mise dietro il tavolo e mi chiese i documenti, glieli detti e domandai:

«Ci sono stanze libere?».

«Tutte quelle che volete, ce n'è una sola occupata.»

«Quanto costa a sera?»

«Mille lire.»

Dissi che mi sarei trattenuto due, tre sere, Pasquale prese la valigia, la chiave della stanza numero 2, facemmo una breve rampa di scale e mi portò nella mia camera. Era semplicemente enorme, aveva un bagno privato, era arredata spartanamente ma non mancava nulla di ciò che serviva e inoltre era dotata di un balcone così ampio che pareva essere un terrazzo, il letto a due piazze era di ottone, una meraviglia. Era passato mezzogiorno, aprii la valigia, misi le mie cose in un armadio che risaliva per lo meno al Settecento e scesi in spiaggia. Non c'era anima viva, solo il barcaiolo se ne stava vicino alla capanna di legno, andai da lui.

«Volevo avvertirvi che oggi pomeriggio alle quattro devo andare a Isca a trovare Eduardo De Filippo, mi ci potete portare?»

«Non c'è problema.»

«E quanto costa?»

«Mille lire.»

Allora lentamente mi diressi verso il ristorante, attraversai una lunga passerella, anch'essa montata su palafitte, e vi entrai, ero il solo cliente.

«Che avete da mangiare?»

«Pasta alle vongole e per secondo tutto il pesce che volete» rispose il proprietario.

Mi venne un improvviso desiderio.

«Aragoste ne avete?»

«Venite con me» fu la risposta.

Lo seguii, attraversammo la cucina, uscimmo da una porticina posteriore. Ci trovammo su una piattaforma di legno alla fine della quale stava infisso un paletto di ferro dove era legata una grossa corda. L'uomo si chinò, cominciò a tirare su la corda, dopo un po' venne alla superficie una nassa enorme che conteneva una decina di aragoste vive.

«Sceglietevene una» mi disse.

Io ne indicai una piuttosto grossa e lui aprì la nassa, la prese e la depose sul legno, io me ne tornai al mio posto. Pranzai divinamente, l'aragosta era squisita, alla fine ci bevvi su un caffè e un bicchiere di whisky.

«Quanto pago?»

«Mille lire.»

Tornai in albergo, mi riposai un pochino, poi alle tre e un quarto circa scesi in spiaggia, il barcaiolo mi aspettava. Salii e cominciò a vogare costeggiando, dopo circa mezz'ora o poco meno vidi ergersi in mezzo al mare un enorme scoglio di colore scuro, dalle pareti a strapiombo sul mare, pareva non esservi via di accesso per arrivare in cima. A questo punto, il barcaiolo si voltò verso di me e mi disse:

«Credo che Eduardo non ci sia nell'isola».

«Come fate a saperlo?»

Mi indicò un pennone che sorgeva sulla sommità dello scoglio.

«Non c'è la bandiera.»

«Che bandiera?»

«Quella italiana, no?»

«Comunque proviamo» dissi.

Il barcaiolo continuò a remare fin quando arrivammo a una piccola piattaforma di cemento dalla quale partiva una scalinata stretta e ripida scavata nella roccia.

«Io vado a vedere» annunciai al barcaiolo, «voi aspettatemi qua.»

Cominciai a salire.

La scala, dopo una ventina di gradini, faceva una curva e qui mi trovai la strada sbarrata da un uomo che se ne stava seduto su uno scalino, era un quarantenne tarchiato che indossava i soli pantaloni.

«Chi cercate?» mi chiese.

«Ho un appuntamento con Eduardo.»

«Purtroppo non c'è, è dovuto andare a Positano. Voi vi chiamate Camilleri?»

«Sì.»

«Allora mi ha detto di dirvi che vi aspetta domani pomeriggio alle quattro.»

Non mi restava altro che raggiungere nuovamente la barca e farmi riportare a Nerano. Una volta arrivati chiesi al barcaiolo:

«Quanto vi devo?».

«Mille lire.»

Per fortuna m'ero portato dei libri, così andai a distendermi sul mio letto e mi misi a leggere. Il silenzio attorno a me era assoluto, solo un leggero sottofondo di risacca accompagnava la mia lettura. Mentre me ne stavo sul letto cominciai a sentire tutto il mio corpo distendersi, i nervi sciogliersi, era una sensazione così deliziosa, così pacificante che chiusi gli occhi e mi addormentai senza nemmeno accorgermene.

Alle otto e mezzo di sera andai di nuovo al ristorante, ero sempre l'unico cliente, questa volta variai il menu, divorai una squisita insalata di pesce e appresso delle freschissime triglie fritte, quindi ordinai un whisky. C'era la televisione accesa ma mi dava fastidio, avevo notato che il whisky mi era stato servito da una bottiglia piena a metà, così chiesi al ristoratore:

«Mi può dare la bottiglia?».

«Come no!» e me la consegnò.

«Quanto pago?»

«Mille lire.»

Si erano fatte quasi le dieci di sera, disteso sulla spiaggia a guardare il cielo stellato mi scolai la mezza bottiglia, poi, verso la mezzanotte, tornai un po' malfermo sulle gambe in albergo, mi spogliai, indossai il costume da bagno, ridiscesi e mi feci un lunga nuotata notturna. All'uscita dall'acqua mi resi conto che ero completamente ubriaco e non avevo nemmeno la forza di camminare, mi trascinai fino alla mia stanza e mi buttai sul letto col costume bagnato e senza nemmeno chiudere la porta.

Mi svegliai l'indomani mattina alle sette, fresco, riposatissimo, avevo voglia di cantare senonché mi resi subito conto di qualcosa di strano. Ricordavo, sia pure abbastanza confusamente, che mi ero coricato sopra il lenzuolo e col costume da bagno: ebbene, mi ero svegliato nudo, senza costume e sotto il lenzuolo. Pensai che probabilmente nel sonno il costume mi aveva dato fastidio quindi me l'ero tolto e mi ero messo sotto il lenzuolo. Però alzandomi notai che il mio costume se ne stava appeso con una molletta alla ringhiera del balcone, non ricordavo assolutamente di averlo fatto perciò indossai un paio di mutande e mi affacciai cautamente. La spiaggia era deserta, non c'era nemmeno il barcaiolo con la sua barca, però sentii una voce femminile.

«Buongiorno, ben alzato.»

Guardai meglio, in mare vicino alla riva, ci stava una donna della quale vedevo solo la testa. Dissi:

«Se state ancora dieci minuti in acqua vi raggiungo».

«Vi aspetto.»

Presi il costume, l'indossai e scesi in spiaggia. Cominciai a nuotare verso di lei, poi quando arrivammo a tiro io le porsi la mano.

«Mi chiamo Andrea.»

«E io Marisa» fece lei.

Era una donna che doveva aver passato da poco la quarantina, aveva un viso bellissimo, mi sorrideva.

«Se non era per me stamattina vi sareste svegliato con un gran bel raffreddore.»

Sinceramente mi sentii arrossire.

«Siete stata voi stanotte.»

«Sì, stavo tornando in camera, io sono alla numero 1, e ho visto che dormivate col costume bagnato, allora mi sono permessa…»

Non seppi che dire, la ringraziai.

«Io devo tornare nella mia camera» disse Marisa e senza salutarmi arrivò a riva e si diresse verso l'albergo.

Feci un bagno lunghissimo, durò ore, poi esausto mi distesi sulla sabbia. Decisi di andare al ristorante senza nemmeno cambiarmi, nell'entrare vidi uscire il proprietario che reggeva un vassoio coperto, mi guardò e mi disse:

«Porto il pranzo alla signora della camera 1, torno fra un attimo».

Dunque Marisa consumava il suo pasto in camera. Non variai il menu del giorno precedente e naturalmente pagai le solite mille lire. Alle tre e un quarto partii col barcaiolo verso Isca, quando arrivammo a vista mi disse:

«Eduardo c'è, ha issato la bandiera italiana».

Questa volta trovai Eduardo ad attendermi sulla piattaforma che fungeva da luogo d'attracco, ci salutammo affettuosamente.

«E io che faccio?» domandò il barcaiolo.

«Il signore resta a cena da me, tu torna verso le dieci di stasera.»

Per prima cosa Eduardo mi fece visitare l'isola che, torno a ripetere, era poco più di un grosso scoglio. In cima c'era la sua splendida villa che digradava verso la parete dove era stata costruita un'enorme splendida terrazza, mi mostrò il gruppo autogeno che forniva energia elettrica:

«Così la sera» disse sarcastico «accendo la televisione e mi guardo mio fratello Peppino».

La villa all'interno era splendida come all'esterno, Eduardo vi abitava con suo figlio Luca, allora poco più che decenne, la sua tata, una cuoca e un cameriere. Mi mostrò il bagno e qui ebbi una grossa sorpresa, il bagno era immenso perché ogni servizio era doppio: due vasche affiancate, due water affiancati, due bidet affiancati. Colse il mio sguardo stupito, mi disse:

«Così si può anche fare conversazione».

Mi offrì un caffè e quindi ci mettemmo a lavorare.

Alle otto la cuoca ci avvertì che la cena era pronta, mangiammo con Luca, poi chiacchierammo di teatro e lui non risparmiò le sue frecciate ai colleghi e soprattutto a suo fratello Peppino. Alle dieci il barcaiolo mi riportò a Nerano. Verso la mezzanotte decisi di fare un altro bagno notturno, era buio pesto ma appena fui in acqua sentii la voce di Marisa.

«Sono qua.»

Nuotai nella direzione della voce, appena le fui accanto lei mi chiese:

«Dove siete stato? Che avete fatto?».

Soddisfeci la sua curiosità e a mia volta volli soddisfare la mia.

«Perché pranzate in camera vostra?»

Ci pensò a lungo prima di rispondermi.

«Sentite, il discorso sarebbe troppo complicato, sono in una specie di libertà provvisoria vigilata.»

«Spiegatevi meglio.»

«Posso fare il bagno solo la mattina presto e la sera tardi, per tutto il giorno devo restarmene chiusa in camera.»

«Scusate ma chi vi obbliga? C'è qualcuno che vi sorveglia?»

«Non c'è nessuno che mi sorveglia, è un patto che devo rispettare. Statevi buono, dormite bene e se volete ci vediamo qui domani mattina.»

Se ne andò, io rimasi un po' a nuotare, poi tornai in camera e mi addormentai.

Dunque quella specie di paradiso terrestre nel quale mi trovavo aveva anche una sua Eva misteriosa ed evasiva ma sempre e comunque una gran bella Eva.

L'indomani mattina facemmo il bagno assieme, questa volta lei si aprì un po' di più, mi raccontò che era la moglie di un orefice napoletano e che per una questione che stava a mezzo tra l'onore e l'interesse lei aveva dovuto sottomettersi a questa sorta di esilio.

«E quando terminerà?» le domandai.

«Spero che domani mattina possa risolversi tutto.»

Il resto della giornata lo trascorsi come quella precedente, nel pomeriggio ebbi l'ultimo incontro con Eduardo, mettemmo a punto un piano di produzione che ci sembrò ottimale, cenai con lui e con Luca e con la solita barca me ne tornai per l'ultima volta a Nerano. Mentre la barca si avvicinava alla spiaggia mi venne un pensiero improvviso: ma chi me lo faceva fare di tornare subito a Roma? Potevo benissimo godermi ancora due giorni di quel paradiso imprevisto.

L'indomani mattina alle sette e mezza la prima cosa che vidi affacciandomi al balcone fu un grosso motoscafo da crociera che sostava quasi a riva, mi alzai, andai in bagno e sentii delle voci piuttosto alterate provenire dalla camera di Marisa, mi fermai ad ascoltare, non percepivo le parole ma sicuramente con lei dovevano trovarsi due uomini. Allora rimasi nella mia stanza a leggere e a fumare, dopo circa un'ora davanti alla mia porta aperta passò Marisa che discuteva con un quarantenne molto ben vestito, dietro a loro due un secondo uomo portava una grossa valigia. Marisa non

si voltò verso la mia camera, non mi salutò, poco dopo
la vidi che, salita sulla barca con i due uomini, veniva accompagnata al motoscafo che rombando partì. E
così rimasi solo nel paradiso terrestre.

Passai due giorni in perfetta solitudine, beato, credo
di aver avuto stampato sul volto un sorriso ebete di
felicità. La sera del secondo e ultimo giorno domandai al padrone del ristorante come si poteva fermare
il vaporetto per ritornare a Napoli, mi rispose che non
c'era bisogno perché l'indomani suo figlio sarebbe ca-
lato giù da Nerano (il paese stava alto sulla collina) per
portare del pane fresco – poteva accompagnarmi lui
in motocicletta fino al luogo dove avrei preso un treno per Napoli – perché alle motociclette era possibile
transitare su un piccolo tratto di strada non franata.
Così la mattina del giorno seguente lasciai il paradiso terrestre, naturalmente quando il figlio del trattore
mi ebbe accompagnato alla stazione e io gli domandai
quanto dovevo dargli per il disturbo mi rispose:

«Mille lire».

Post scriptum. Una decina di anni dopo, mi trovai
a Napoli perché stavo producendo la serie televisiva
intitolata *Le avventure di Laura Storm*, protagonista
Lauretta Masiero. Una domenica, giorno nel quale

naturalmente non lavoravamo, proposi a Lauretta di passare una giornata nel paradiso terrestre e le parlai di Nerano.

«Andiamo» disse.

Partimmo con la sua macchina ma già nelle vicinanze di Nerano, informandoci con un signore su quale fosse la strada migliore per raggiungere il paese, quello ci avvertì che la strada era stata ripristinata e che arrivava fino al mare, ci indicò come fare e dall'alto della discesa che portava alla spiaggia a vedere ciò che vidi mi scappò un urlo.

«Ferma!»

Del mio paradiso terrestre non esisteva più nulla, al posto del vecchio palazzo settecentesco ora si ergeva un albergo di otto piani, era circondato da case e casette, il paesaggio era completamente cambiato. La spiaggia affollatissima.

«Torniamo indietro» dissi.

«Perché?»

«Perché il cemento si è mangiato il mio paradiso.»

Alessandro Gottardo

I miei premi

Thomas Bernhard ha scritto e pubblicato un delizioso libretto intitolato *I miei premi* nel quale racconta con molta ironia dei premi letterari vinti, di ciò che è accaduto durante le cerimonie di consegna e come abbia speso il denaro ricevuto in quelle occasioni.

Considerata la distanza siderale tra Bernhard e me anche io scriverò dei miei premi ma limitandomi a poche paginette. Dirò subito di due premi che non ho vinto: lo Strega e il Viareggio. Al primo concorsi con il romanzo *La stagione della caccia*, da Elvira Sellerio ne ero stato sconsigliato:

«Tu sei un cane sciolto, non hai amicizie letterarie, non hai nessuna probabilità di entrare in cinquina».

Io volli partecipare lo stesso: ottenni solo quattro voti. Pochi anni dopo ritentai con *Il birraio di Preston* sempre concorrendo motu proprio, questa volta mi andò un po' meglio: entrai negli ultimi finalisti presentai il mio romanzo a Benevento e a Milano ma venni escluso dalla cinquina. Da allora non partecipai più allo Strega.

Al Viareggio il mio libro venne portato a mia insaputa da un giurato, Nino Borsellino, seppi dopo che il premio mi era stato conteso fino all'ultimo da Maurizio Maggiani che alla fine lo vinse.

Tra i premi letterari più importanti che ho ricevuto voglio qui ricordare il Campiello (alla carriera), il Mondello e il premio Forte dei Marmi per la satira politica. Invece, stranamente, ho vinto quasi tutti premi intestati al nome di autori famosi: il Pavese, il Chandler, il Vergani, il Mastronardi, il Chiara, il Cardarelli, il Morante (due volte) il Vittorini, il Boccaccio, il premio Pepe Carvalho, il Gogol, il Flaiano e il Superflaiano: a proposito di quest'ultimo premio dirò che la serata della consegna è stata per me indimenticabile.

Il meccanismo del premio è il seguente: una giuria letteraria dà il premio Flaiano a tre scrittori, subito dopo una giuria popolare composta da trecento lettori attraverso una votazione sceglie fra i tre l'autore a cui assegnare il Superflaiano. La cerimonia si svolge nel teatro all'aperto che si trova nella pineta di Pescara. Nel 1998 io partecipai con il romanzo *La voce del violino* e vinsi il premio assieme allo scrittore uruguaiano Daniel Chavarría e al notissimo romanziere inglese Ian McEwan. Il presidente della giuria letteraria era il grande poeta Mario Luzi da me amato fin dall'età di quindici anni. Assieme a noi erano stati proclamati vincitori per la regia cinematografica il portoghese Manoel De Oliveira e, per la poesia, l'americano Lawrence Ferlinghetti. Durante la cerimonia di premiazione Ferlinghetti, che era stato anche il libraio e l'editore soprattutto della Beat Generation ci venne a raccontare le sue disavventure di libraio e di editore di Kerouac e di Ginsberg. Infatti a causa della pubblicazione de *L'urlo* di quest'ultimo era stato processato quale editore di un libro osceno e quindi incarcerato. In quell'occasione, va a sapere perché, tenne un discorso che dipingeva gli scrittori della Beat Generation come dei giovani a modo, per benino, quasi timorati da Dio. A questo punto non resistetti più e l'interruppi domandandogli perché allora un poeta come Gregory Corso credeva di essere uno struzzo e si muovesse su una gamba sola. Mi rispose freddamente che si trattava di un problema personale di Gregory. Insomma voleva in tutti i modi cancellare la verità e cioè che quelli della Beat Generation avevano fatto larghissimo uso di droghe di vario genere.

Manoel De Oliveira parlò del suo prossimo film, Ian McEwan illustrò il suo romanzo così come facemmo Chavarría e io, ci consegnarono le buste con gli assegni e quindi i trecento lettori cominciarono a votare segretamente. La cosa sarebbe durata assai più di un'ora, io mi sentivo molto stanco, ero stremato e andai a sedermi su una delle ultime poltrone in fondo al teatro, venni raggiunto dopo un poco da quel pimpante novantenne che era Manoel De Oliveira, che mi propose di uscire fuori e andare a un chiosco che aveva intravisto nelle vicinanze e farci due grossi coni gelato. Io mi rifiutai, lui andò e tornò dopo un poco reggendo nella sinistra un enorme cono che leccava e nella destra un cono identico che mi offrì.

Avevo conosciuto l'uruguaiano Daniel Chavarría anni avanti al primo festival della letteratura di Mantova e avevamo stretto subito un'amicizia quasi furibonda, per sei giorni non ci separammo un attimo. Chavarría aveva avuto una vita straordinaria, giovanissimo si era trasferito in Europa, aveva fatto il minatore in Belgio, il lavapiatti a Parigi, la guida al Museo del Prado di Madrid. Per un certo periodo si era fatto monaco poi aveva gettato la tonaca alle ortiche ed era andato in Brasile dove aveva studiato. Nel golpe dei Generali si era rifugiato nel Mato Grosso con la moglie sopravvivendo come cercatore d'oro. Un giorno venne avvertito che il suo arresto era imminente, allora si imbarcò con la moglie su un aereo che, pistola alla mano, dirottò facendosi portare a Cuba, lì ottenne l'incarico di professore di latino e greco che esercitò per qualche tempo, poi decise di dedicarsi alla scrittura: i suoi romanzi conobbero un immediato successo.

Nel corso della votazione, mentre De Oliveira e io tentavamo di finire quei giganteschi coni, Daniel Chavarría ogni tanto incitava i votanti gridando a voce altissima:

«Votate Camilleri!».

La frase infastidiva evidentemente Ian McEwan che se ne stava in disparte a discorrere con un professore di inglese. Quando cominciò lo spoglio dei voti, ogni voto assegnato a McEwan veniva accolto da Chavarría con urla di sberleffo e cachinni mentre si sbracciava in applausi per ogni voto che io ricevevo. Alla fine vinsi il Superflaiano distaccando Ian McEwan di oltre ottanta punti, tentai di sottrarmi all'abbraccio frenetico di

Chavarría ma egli continuò implacabile a stritolarmi. Riuscii a fatica a liberare il braccio destro per porgere la mano a Ian McEwan ma egli non la prese, mi guardò freddamente, mi voltò le spalle e si allontanò senza salutarmi. Terminammo la serata a notte inoltrata De Oliveira, Chavarría e io in una bettolaccia che trovammo ancora aperta.

Ora voglio parlare di un premio che ho vinto e che non ho citato in precedenza: il Bancarella, che come si sa è un premio importante perché è promosso dai librai. Mentre mi trovavo nella mia casa in Toscana nell'estate del 2001 ricevetti una telefonata.

«Qui è la segreteria del premio Bancarella, parlo col dottor Camilleri?»

«Sì.»

«Le volevamo comunicare che lei ha vinto il premio.»

Rimasi sbalordito.

«Ma io non ho concorso.»

«Non ha importanza siamo noi che scegliamo i concorrenti.»

In quei giorni non stavo tanto bene in salute e l'idea di dovermi recare dove veniva assegnato il premio, mi pare a Pontremoli, non mi sorrideva affatto.

«Senta» risposi, «non sto troppo bene, non me la sento di partecipare di persona. Vi ringrazio ma il premio datelo a qualcun altro.»

«Vedremo come fare» fu la risposta che mi lasciò perplesso.

Passò una settimana e un giorno leggendo l'edizione toscana de "la Repubblica" appresi che la sera avanti mi era stato assegnato il premio Bancarella per il romanzo *La gita a Tindari*, che il premio mi era stato consegnato dal presidente del Senato Marcello Pera il quale aveva pronunziato alcune parole di elogio per la mia scrittura, seguiva virgolettato il mio breve discorsino di risposta:

"Sono molto grato alla giuria del premio Bancarella che ha voluto assegnarmi il premio per il romanzo *La gita a Tindari*, sono felice che il mio nome venga iscritto nella lista dei vincitori dove già ci sono nomi celeberrimi come quello di Ernest Hemingway".

Il discorso, che non avevo pronunciato, non mi soddisfece ma non protestai, preferii continuare a restarmene nella mia casa toscana dalla quale non mi ero mai mosso.

Ho ricevuto anche molti premi stranieri, in Francia ho ricevuto il Cité de Paris, che viene assegnato allo scrittore straniero più letto nelle biblioteche comunali della città, ho vinto in Spagna il premio della Semana Negra e il Pepe Carvalho in memoria di Vázquez Montalbán. Ho vinto anche il premio Dagger degli scrittori inglesi di romanzi polizieschi ma qui mi preme ricordare un premio singolare e inatteso.

Un giorno del 1995 ricevetti una lettera che veniva dal Comune di Ouessant situato nell'isola omonima. Mai sentita nominare. Prima ancora di aprire la lettera corsi a consultare il De Agostini e così appresi che l'isola di Ouessant, nel circondario di Brest, è quella più al nord della Francia, che è lunga otto chilometri e larga quattro, che ci sono ben cinque fari, che la popolazione non raggiunge le novecento unità, che in maggioranza sono donne perché gli uomini si imbarcano sulle navi mercantili, che l'isola si trova al centro del grande traffico da e per il canale della Manica ed è quindi dotata anche di un radar per scongiurare eventuali collisioni. Essa è la base dalla quale partono i grandi pescherecci d'alto mare che si spingono fin oltre il circolo polare e restano a pescare per mesi interi. Nella sua lettera il sindaco mi diceva che il Comune aveva deciso di istituire un premio letterario destinato ad un romanzo insulare vale a dire di uno scrittore nato in una qualsiasi isola del mondo – quindi i concorrenti andavano dalla Martinica al Madagascar, dalla Corsica alle Hawaii, dalla Sicilia all'Islanda – e concludeva comunicandomi che il mio romanzo *Il birraio di Preston* era entrato in finale e che presto avrei ricevuto altre notizie.

Una quindicina di giorni appresso ricevetti un'altra lettera dello stesso, mi comunicava che la giuria, riunitasi a bordo di un peschereccio, aveva dichiarato vincitore il mio romanzo con la seguente motivazione: *"Bon livre"*. Mi faceva le sue congratulazioni e mi pregava di mandargli le mie coordinate bancarie per inviarmi i diecimila franchi del premio. Insomma, non volevano scomodarmi, gente concreta gli isolani di Ouessant e soprattutto di poche parole.

Pietro Sharoff

Ho avuto l'onore di essere stato un grande amico di Pietro Sharoff, vale la pena di accennare brevemente alla sua biografia. Era nato in Russia, a Perm' nel 1886, da un'agiata famiglia borghese e si era laureato in legge ma la sua vera passione era il teatro sicché negli ultimi mesi del 1903, vale a dire appena diciassettenne, aveva contemporaneamente preso a frequentare la scuola del Teatro d'Arte di Mosca diretta da Stanislavskij e da Nemirovič-Dančenko. Ebbe modo così di assistere alle prove e alla prima assoluta de *Il giardino dei ciliegi* di Anton Čechov. Divenne attore della compagnia e membro del consiglio direttivo nonché maestro di recitazione e, dopo un certo periodo passato al Teatro d'Arte, se ne staccò per seguire il grande regista Mejerchol'd nella compagnia della quale fu attore e anche aiuto regista. Dopo la rivoluzione sovietica del '17 continuò a lavorare a fianco di Mejerchol'd ma nel '20 il Commissario del Popolo Anatol Lunačarskij lo inviò a Praga per fondarvi un Teatro d'Arte. La compagnia praghese diretta da Sharoff andò in tournée per l'Europa e Silvio d'Amico, il nostro grande critico e storico del teatro, ne vide alcuni spettacoli a Parigi e ne scrisse entusiasticamente. Queste pagine vennero poi raccolte nel volume *Tramonto del grande attore*. Quel tipo di compagnia che agiva agli ordini di un regista era l'ideale che D'Amico avrebbe anni dopo tentato, riuscendoci, di importare in Italia. Successivamente Sharoff andò a dirigere una scuola per attori a Düsseldorf ed ebbe tra le allieve quella che poi sarebbe diventata l'eccelsa Louise Rainer. Nel '30 arrivò in Italia e qui diresse alcuni spettacoli rimasti memorabili, nel '36 gli venne data la cattedra di recitazione nell'appena nato Centro Sperimentale di Cinematografia, tra i suoi allievi vi furono Arnoldo Foà e Alida Valli. A Venezia mise in scena grandiosi spettacoli shakespeariani all'aperto servendosi dei migliori attori di allora. Durante l'occupazione nazista di Roma aveva creato una sua compagnia che recitava al Teatro Argentina, primo attore Renato Cialente. Una notte che Sharoff e Cialente stavano tornando a piedi al loro albergo, il Plaza, arrivati all'altezza dell'incrocio tra via Condotti e via del Corso passò un camion militare tedesco, un gancio che pendeva dal bordo del camion artigliò la cintura dell'impermeabile di Renato Cialente, l'attore venne sollevato in alto poi sbattuto violentemente a terra e trascinato per centinaia di metri. Con un balzo fulmineo Sharoff riuscì a salire sul predellino del camion gridando al soldato tedesco che era alla guida di fermarsi, il soldato equivocando credette di essere aggredito e diede un fortissimo pugno in faccia a Sharoff che cadde a terra ferendosi seriamente. Solo allora il militare, fermato il camion, si accorse che stava trascinando il cadavere di Cialente. Sharoff venne trasportato all'ospedale e vi rimase per mesi. Dopo la Liberazione riprese la sua attività fondando la compagnia dell'Eliseo, un suo allievo, Aldo Rendine, diede vita a una scuola per attori intitolandola proprio a Sharoff. In questa scuola il critico Silvio D'Amico, che fino a quel momento era stato un esaltatore di Sharoff, vide una possibile rivale della sua Accademia Nazionale d'Arte Drammatica e quindi il suo atteggiamento mutò, oltretutto erano i tempi nei quali si mettevano in luce registi nostri come Orazio Costa, Giorgio Strehler, Ettore Giannini e Luchino Visconti. Sharoff comprese ben presto che l'Italia non faceva più per lui, accettò l'invito di recarsi in Olanda e lì cominciò a produrre i suoi spettacoli, che conobbero enormi successi tanto che dopo pochi anni di permanenza nei Paesi Bassi la Regina Guglielmina gli conferì un vitalizio. Ma Sharoff non mancava di venire in Italia almeno due o tre volte l'anno, era stato naturalizzato italiano nel '38 e l'Italia era il paese che amava di più al mondo, più forse della sua stessa Russia. Morì durante un suo soggiorno romano nel '69, l'anno prima di morire aveva dato due spettacoli al romano teatro de la Cometa, si trattava de *Le tre sorelle* e di *Zio Vanja* dell'amatissimo Čechov. La critica romana, da Raul Radice a Giorgio Prosperi, lo riscoprì, restò ammirata e sconvolta da questi due spettacoli e ne scrisse articoli altamente laudativi. Al suo funerale, avvenuto nel cimitero degli acattolici, intervennero solo quattro suoi ex allievi tra i quali Ennio Balbo e Lina Wertmüller, l'unico grande attore presente fu Gino Cervi, dall'Olanda invece arrivò una folta rappresentanza di attori e registi con al seguito numerosi operatori televisivi. Furono loro ad accollarsi le spese del funerale.

Sharoff era un narratore formidabile, mi raccontava degli episodi avvenuti dietro le quinte del Teatro d'Arte di Mosca: ad esempio, che alla prova generale del *Giardino dei ciliegi*, a cui assisteva Čechov in persona seduto da solo in platea, tutti gli allievi e gli attori che non prendevano parte allo spettacolo si erano sistemati nella balconata superiore, e ogni tanto, mentre gli attori recitavano, Čechov scoppiava in sonore risate e tutti si chiedevano stupiti che cosa ci trovasse da ridere. Alla fine della prova Čechov si avviò verso l'uscita, fermandosi nella hall in attesa che arrivasse la sua carrozza, era una sera di gennaio gelida, nevicava. Finalmente arrivò la carrozza e Čechov venne raggiunto fuori da Stanislavskij sudato in maniche di camicia ansante, il quale si avvicinò alla carrozza e quasi inginocchiandosi disse:

«Maestro, che ve n'è parso?».

Čechov non rispose subito, forse stava soppesando le parole che avrebbe detto ma in quel momento si sentì provenire dall'interno del teatro un urlo di Nemirovič-Dančenko:

«Date un cappotto a quell'imbecille».

L'imbecille ovviamente era Stanislavskij, finalmente Čechov parlò:

«Cadevano troppe foglie morte».

E la carrozza partì lasciando Stanislavskij inebetito.

Quelle parole di Čechov erano una forte critica alla messa in scena naturalistica di Stanislavskij, Čechov sosteneva che le sue erano commedie e non tragedie e dello stesso parere si dimostrava Nemirovič-Dančenko. Il naturalismo di Stanislavskij si spinse fino al punto che, dovendo mettere in scena *Nel fondo* di Gor'kij, annunciò a Nemirovič-Dančenko che la notte appresso l'avrebbe trascorsa, dopo essersi travestito da miserabile, in un autentico albergo per i poveri. Nemirovič temendo che Stanislavskij potesse incappare in qualche brutta avventura avvertì, a sua insaputa, la polizia la quale, immediatamente, provvide a far sgombrare i poveri dall'albergo e a sostituirli con poliziotti travestiti da poveri. Ignaro di ciò che era avvenuto Stanislavskij passò la notte in quel sordido albergo e l'indomani entusiasta dichiarò a Nemirovič che solo allora che aveva conosciuto com'erano in realtà i poveri poteva mettere in scena il dramma.

Sharoff tra le altre cose mi raccontò anche un delizioso episodio che riguardava Nemirovič-Dančenko. Mi disse che mentre si trovava a Düsseldorf aveva ricevuto una telefonata da Nemirovič il quale gli comunicava che era a Parigi dove si sarebbe fermato una settimana per preparare la futura tournée del Teatro

d'Arte, con lui erano arrivati anche due direttori amministrativi del teatro uno dei quali era una donna, una
certa Irina della quale Nemirovič era perdutamente innamorato. Da quindici anni le faceva una corte spietata ma Irina testardamente si rifiutava di fare l'amore
con lui. Sharoff due giorni appresso andò a Parigi e si
recò al grande lussuoso albergo dove Nemirovič aveva
preso alloggio. Erano le cinque del pomeriggio. Nemirovič disponeva di una grande suite che comprendeva
un salotto, un salottino, la stanza da letto e il bagno.
Accolse Sharoff con un grande abbraccio e poi con
voce rotta ed emozionata lo invitò ad andarsene subito
perché la famosa Irina gli aveva promesso che l'avrebbe raggiunto in camera da lì a poco: finalmente il sogno d'amore di Nemirovič si sarebbe avverato. Sharoff
l'abbracciò gli augurò la migliore fortuna e si diedero appuntamento per l'indomani mattina alle nove. Il
giorno dopo all'ora stabilita Sharoff bussò alla porta
dell'appartamento di Nemirovič, non ebbe nessuna risposta, girò la maniglia e la porta si aprì, il salotto era
al buio, passò nel salottino anch'esso al buio, vide che
una debole luce proveniva dalla porta della camera da
letto, vi si diresse e si fermò sulla soglia. Nemirovič
stava seduto sul bordo del suo letto con la vestaglia

aperta e senza nessun altro indumento, e qui lascio la parola a Sharoff.

«Teneva in sua mano sinistra suo coso e agitava indice destro minacciosamente verso di esso. I mormorava disolato i a bassa voce: tradituore... tradituore... tradituore... Io chiamai lui ma lui non sentì o finse di non sentire allora voltai spalle e uscii in punta piede.»

Era un uomo di una simpatia straripante, potevo stare ad ascoltarlo per ore: non vedeva che il teatro. Venne mandato dagli olandesi in Sudafrica per costituirvi una compagnia e con essa mettere in scena un lavoro di García Lorca, visse lì per alcuni mesi – era il periodo più acuto dell'Apartheid – quando tornò a Roma arrivò a casa mia che pareva Babbo Natale: era pieno di regali, riproduzioni in piccolo di animali della foresta, collane, orecchini, anelli per le mie tre figlie. A un certo punto gli chiesi:

«Maestro, com'è la situazione con i negri in Sudafrica?».

Mi guardò stupito.

«Naturale che Sudafrica c'è negri.»

«No, Maestro, io mi riferivo al problema dell'Apartheid.»

La sua faccia assunse un'espressione perplessa.

«Cosa essere Apartheid?»

Non aveva visto nulla, era rimasto solo a lavorare nelle pareti del suo amato teatro, preferii cambiare discorso.

Un giorno che si avvicinava l'estate mi chiese dove avrei passato le vacanze, risposi che con la mia famiglia avrei trascorso un mese in un paesetto vicino a Bolzano, lui invece ripartiva per l'Olanda. Quando tornai a Roma in settembre nella posta trovai una sua cartolina, veniva da Bolzano c'era scritto: "Sono in Bolzano, domandato di te, nessuno te conosce, como mai? Piotr".

Dei registi italiani aveva una grandissima considerazione per Costa e Strehler, un po' meno per Visconti che trovava troppo scenografico. Il lavoro in Olanda lo stancava.

«Kvesti olandesi troppo puntuali, se arrivare io un minuto in ritardo trovare tutti pronti che fanno "oh oh" di disapprovazione per mio ritardo. A me piace tornare a Roma, uscire da stazione e litigare subito con taxi.»

Un'altra volta mi mandò una cartolina dall'Olanda, rappresentava un paesaggio con una mandria di vacche sullo sfondo: "Sono kvi presso amico in vacanza, paesaggio fatto solo di vacce. Piotr".

Quando anni dopo andai in Olanda, uno della sua

compagnia mi raccontò che una notte dopo una prova
si era molto arrabbiato con gli attori, aveva fatto una
sfuriata ed era uscito di corsa dal teatro. Un attore l'a-
veva seguito, non era riuscito a raggiungerlo ma aveva
fatto in tempo a vedere Sharoff che saltava su un tram
urlando al conduttore:

«Portami subito a Roma!».

Angelo Maria Ripellino, che come si sa è stato un
grande studioso del teatro russo, mi chiese un giorno
di farglielo conoscere. Allora stavo passando una vacanza a Fregene, li invitai tutti e due a casa mia, si presentarono il pomeriggio alle due, finirono di parlare a
mezzanotte senza avere cenato. Eravamo in tre, solo
che loro si dimenticavano di me ogni tanto e si mettevano a parlare in russo e in russo si rivolgevano a me
facendomi qualche domanda che io naturalmente non
capivo.

Qualche anno prima che morisse, Sharoff ricevette
una lettera dal governo sovietico, in essa il Ministro
per l'Istruzione, che era una donna, gli comunicava
che essendo egli uscito dalla Russia con regolare passaporto e con una missione da compiere non veniva
considerato un fuoriuscito, per cui tutti gli anni che
aveva lavorato all'estero costituivano per il Ministero

anni di missione, pertanto lo invitavano a tornare in patria dove avrebbe potuto godere di un'ottima pensione. Sharoff restò a lungo esitante, poi su mio consiglio decise di fare una prova, andò a Mosca.

«Già trovato litigare con funzionario di frontiera che lui avendo visto mio passaporto si arrabbiò perché essendo io nato a Perm' e chiamando Piotr Sharoff fossi cittadino italiano. Stato poi in Teatro d'Arte e quasi tutto cambiato, non riconosciuto, poi venuto in albergo vecchio uomo molto brutto che ha detto essere mio fratello ma io non ricordavo nulla di lui. Cuosa terrebili è stato non capire più russo perché troppi paroli di operai e di contadini entrati nel linguaggio comune, io avevo quasi bisogno di interprete per capire mia lingua.»

E così dopo quindici giorni se ne ritornò nella sua amata Italia.

Con Antonioni

Non sono un cinefilo e, a dirla tutta, nemmeno un gran frequentatore di sale cinematografiche ma quando nel 1950 vidi il primo film di Michelangelo Antonioni che si intitolava *Cronaca di un amore*, ne rimasi addirittura affascinato. Non solo quel film non aveva nulla a che fare con il neorealismo che aveva dominato il cinema italiano in quegli anni, ma mi sembrò che, addirittura, segnasse l'inizio di una nuova strada. Tra i film che girò in seguito mi piacquero molto *La signora senza camelie* e *Le amiche*, quest'ultimo tratto da un romanzo di Pavese.

Nel 1960 Antonioni cominciò le riprese del film che avrebbe segnato un'autentica svolta nel cinema non solo italiano, cioè a dire *L'avventura*, in quei giorni ricevetti una telefonata da Monica Vitti, mia amica da lungo tempo, e che era una delle protagoniste del film. Antonioni e Monica si erano conosciuti tre anni prima, quando il regista aveva deciso inopinatamente di accettare la direzione artistica di una compagnia di prosa con giovani attori più che promettenti tra i quali Virna Lisi, Giancarlo Sbragia e la stessa Vitti. Antonioni curò anche due regie, la prima per una commedia americana e la seconda per una commedia scritta a quattro mani da lui stesso e da Elio Bartolini che si intitolava *Scandali segreti*. La messa in scena di quest'ultima commedia diede occasione ai due di incontrarsi e di frequentarsi, dopo qualche giorno tra loro divampò un grande amore.

In quella sua telefonata Monica mi disse che stavano girando alcune sequenze sull'Isola Tiberina a Roma e che avrebbe avuto molto piacere a farmi conoscere il "suo" regista. Ci andai il giorno appresso e Monica dopo averci reciprocamente presentati aggiunse una frase che avrebbe potuto essere pericolosa:

«Vorrei che voi due diventaste amici».

Frase pericolosa perché detta a due uomini da una bella donna può provocare l'effetto contrario. Fortunatamente quest'effetto non solo non ci fu, ma terminate le riprese di quel giorno andammo a cena in tre

e in quella occasione Antonioni mi chiese di collaborare al suo film riscrivendo in dialetto siciliano alcune battute e dialoghi che erano in italiano. Al termine
della cena mi consegnò la voluminosa sceneggiatura
avvertendomi che aveva segnato con delle crocette le
battute da tradurre. Confesso che cominciai a leggere
la sceneggiatura appena tornato a casa mia e terminai
verso le quattro del mattino: da quelle pagine ne tras-
si la convinzione che quel film avrebbe rappresentato
una sorta di summa delle opere precedenti, come se
Antonioni volesse in qualche modo chiudere la sua
precedente esperienza e iniziarne una del tutto nuova
e innovativa. Intendiamoci, il film dal punto di vista
narrativo era in linea con i suoi precedenti dove le
storie erano raccontate in modo sostanzialmente tradizionale, certo qui e là si avvertiva qualche sfaglio ma
si trattava solo di piccole crepe che avrebbero potuto
allargarsi o scomparire. Prima che la troupe partisse
per la Sicilia consegnai il mio lavoro ad Antonioni,
egli lesse le mie traduzioni ed ebbi l'impressione che
non ne fosse soddisfatto; gli chiesi se c'era qualcosa
che non andasse, Antonioni era un uomo di poche parole sempre serio, anzi un po' triste, mi rispose con un
mezzo sorriso:

«Quello che non va non riguarda la tua traduzione, riguarda me».

Erano parole enigmatiche e io non insistetti oltre. Dopo che la troupe si era trasferita all'isola di Lisca Bianca, dalla casa di produzione mi cominciarono ad arrivare dei foglietti, erano una nuova versione dei dialoghi in precedenza da me tradotti. Tradussi nuovamente questi dialoghi e li feci pervenire all'isola, da allora non ebbi più notizia della troupe. Venni, qualche mese dopo, invitato da Monica ad assistere ad una prima proiezione privata e rimasi a un tempo sconvolto e soddisfatto. Soddisfatto perché quelle piccole crepe narrative che avevo riscontrato nella sceneggiatura originale erano diventate degli abissi, infatti il film non aveva niente a che fare sia come racconto sia come immagini con quanto avevo letto in precedenza. Era accaduto che durante la lavorazione Antonioni aveva trovato la sua formula autentica e la verità di un suo linguaggio. Come è noto quel film segnò l'inizio di quelli che vennero definiti "i film dell'incomunicabilità"; a *L'avventura* infatti fecero seguito *La notte* e *L'eclisse* che imposero nel mondo il binomio Antonioni-Vitti.

Agli inizi del 1963 Monica mi chiese di andare a pranzo da lei e mi avvertì che Antonioni non ci sarebbe stato, Monica voleva parlarmi proprio in sua assenza. La Vitti era, tra l'altro, una grandissima attrice comica. L'attore comico è una specie rara: è più facile far piangere la gente che farla ridere. Durante quel pranzo mi disse esplicitamente che ne aveva fin sopra gli occhi di recitare in parti drammatiche e che intendeva fare un film divertente, era riuscita a convincere Antonioni a dirigerlo e lei voleva perciò che la sceneggiatura di questo film fosse fatta dal trio Antonioni-Vitti-Camilleri: voleva da me un soggetto originale. Io lo scrissi in una settimana e da quel momento cominciarono quotidiani incontri a tre, poi finalmente passammo a sceneggiarlo. E qui arrivarono le difficoltà: Monica ed io propendevamo per una comicità concreta più di fatti e di situazioni che di battute, una comicità per intenderci alla Feydeau, Antonioni invece avrebbe preferito una comicità più leggera, aerea, a mezza strada tra Chaplin e Tati.

Quando, dopo tre mesi, finimmo la sceneggiatura che provvisoriamente intitolammo *A donna che t'ama proibisci il pigiama*, Antonioni nel bel mezzo di una cena a tre dichiarò:

«Io un film così non sono in grado di dirigerlo».

«Perché?» gli domandò Monica.

«Perché non mi ci ritrovo assolutamente.»

In quei giorni infatti stava elaborando la prima traccia del suo film seguente che sarebbe stato il famosissimo e ultrapremiato *Deserto rosso*, sempre con la Vitti. Monica non insistette per fargli cambiare idea anche perché la frase Antonioni l'aveva pronunciata con un tono definitivo, si limitò a domandargli:

«E allora secondo te chi sarebbe il regista ideale?».

E Antonioni con molta semplicità disse:

«Lui» indicando me.

Fino a quel giorno io ero stato un regista teatrale, non mi ero mai trovato dietro una macchina da presa e non avevo ancora cominciato a far televisione quindi, per dirla alla buona, come raccontare per immagini mi era assolutamente sconosciuto.

«Stai scherzando?»

E Antonioni:

«Affatto».

«Ma io non ho nessuna tecnica cinematografica.»

«D'accordo ma sei un ottimo direttore di attori. Per la parte tecnica vuol dire che sarò io a starti dietro, ti farò da aiuto regista ma senza comparire.»

Monica ne fu subito entusiasta, si mise a battere le mani, io lo ero molto meno. Mi pareva troppo rischioso fare la mia prima opera con un'attrice così importante come Monica e sotto il controllo di Antonioni. Quella sera stessa ne parlai col mio Maestro e amico Orazio Costa, anche lui si dimostrò dubbioso:

«Certo, è un'ottima occasione per te ma temo che la presenza di Antonioni possa diventare troppo invasiva e ingombrante».

Era proprio quello che pensavo io, così telefonai a Monica chiedendole di concedermi qualche giorno per pensarci su. Due giorni dopo fu Monica a chiamarmi, invitandomi stavolta a pranzo. Quando arrivai mi venne presentato un signore che non conoscevo, era il produttore Moris Ergas, un nome ben noto negli ambienti cinematografici. Durante il pranzo Antonioni gli parlò del film e gli disse che molto probabilmente l'avrei dovuto dirigere io con la sua assistenza tecnica che però non doveva essere palesata. Il produttore non batté ciglio, volle anzi che Monica ed io gli raccontassimo il soggetto. Durante il racconto si fece delle grasse risate:

«Mi piace molto, spero che riusciamo a portarlo in porto».

Senonché i miei dubbi e le mie perplessità aumentarono, così durante una nuova cena a tre io dissi che quel film non l'avrei diretto e li pregai di non cercare di convincermi a cambiare idea. Monica, da donna pratica, si comportò con me come aveva fatto con Antonioni.

«Chi potrebbe farlo al posto tuo?» mi domandò.

«Ascoltatemi bene» dissi, «so che Giorgio Strehler spasima per fare un film, è un grandissimo nome, Monica, e potrà dirigerti benissimo.»

Antonioni rimase muto ma Monica fremeva, non voleva perdere tempo, si alzò e andò al telefono, parlò con Strehler in nostra presenza. La telefonata fu brevissima:

«Giorgio, ci sarebbe la possibilità per me di fare un film comico, ti farebbe piacere esserne tu il regista?».

Siccome aveva messo il vivavoce sentimmo la risposta entusiastica di Strehler.

«Ma certo! Quando? Dove? Come? Quando cominciamo? Di che si tratta?»

«Per ora non posso dirti molto, ti richiamo tra qualche giorno, ciao.»

E chiuse la comunicazione.

Michelangelo Antonioni assunse un'espressione impenetrabile.

«Che hai?»

«A me l'idea di Strehler non mi persuade, comunque sia, domani sera parliamone con Ergas.»

Nella cena seguente, appena sentì il nome di Strehler, Ergas reagì immediatamente:

«Non se ne parla nemmeno. Io questo film non lo produco».

«Perché?» domandò Monica esterrefatta.

«Ve lo dico subito, Camilleri è alle prime armi e quindi sarebbe stato ben felice di fare questo film con l'aiuto di Michelangelo. Avrebbe avuto, come tutti i registi esordienti, poche pretese mentre invece uno come Strehler avrà centomila pretese alcune che io non potrò soddisfare e dopo avermi condotto sull'orlo dell'esaurimento nervoso finirà col consegnarmi un prodotto mediocre.»

A queste parole non osammo replicare. E così del nostro soggetto comico non se ne parlò più.

Poco tempo dopo Monica, forse a malincuore, cominciò a girare *Deserto rosso*.

La sceneggiatura di *A donna che t'ama proibisci il pigiama* la conservai gelosamente, la misi in un posto sicuro, così sicuro che quando qualche anno dopo mi venne voglia di rileggerla, per quante ricerche facessi non la ritrovai più.

La cura perfetta

Agli inizi del 1950 il regista brasiliano Alberto Cavalcanti, che aveva partecipato in gioventù al movimento dello sperimentalismo cinematografico francese, che contava tra gli altri i nomi di Clair e di Buñuel, tornò in patria, a San Paolo e, approfittando di una congiuntura favorevole riuscì a creare una grande casa di produzione: La Vera Cruz. La società disponeva di larghissimi fondi e chiamò i migliori nomi della cinematografia europea e statunitense. Uno solo per tutti: Orson Welles. Dall'Italia arrivò un folto gruppo di artisti tra cui Ruggero Jacobbi, Flaminio Bollini detto Flem, Luciano Salce, Adolfo Celi e alcuni altri. Questo gruppo venne impegnato non solo nel cinema ma anche nel teatro, insomma furono loro a segnare la rinascita della cinematografia e del teatro brasiliani. Il primo a tornare in Italia dopo una permanenza di poco meno di dieci anni fu Flem Bollini, non per sua volontà ma perché costretto dalle circostanze, anzi, per meglio dire, la circostanza fu una sola. Flem e Diane, una bella donna inglese che era la moglie del direttore generale della Vera Cruz, si innamorarono perdutamente e divennero segretamente amanti. Poco dopo, però, malgrado avessero preso tutte le precauzioni possibili, la loro storia si venne a sapere, così un giorno Adolfo Celi fu chiamato dal marito tradito il quale era uomo di poche parole ma pronto sempre a passare ai fatti.

«Ho saputo che mia moglie mi tradisce col tuo amico Bollini. Io a lui non voglio vederlo, perciò riferiscigli quello che ti dico. Entro ventiquattro ore mia moglie sarà accompagnata a casa sua con la mia macchina e con tutte le sue valigie, entro le successive quarantotto ore però Bollini e Diane devono scomparire da San Paolo, da Rio e da qualsiasi altra città brasiliana perché se non lo fanno…»

E qui si interruppe.

«Se non lo fanno?» domandò Celi un po' spaventato.

«Se non lo fanno e li vedo li ammazzo tutt'e due con questa» e cavò dalla tasca una grossa pistola che posò sul tavolo.

Ancora tremante Celi riferì tutto a Bollini, ventiquattro ore dopo a casa di Flem arrivarono Diane e otto grossi bauli che contenevano solo una minima parte del suo guardaroba. Flem intanto aveva telefonato a un amico che viveva ai margini della grande foresta brasiliana, così la coppia andò lì a rifugiarsi in attesa che fossero pronti i documenti per poter ripartire per l'Italia. Finalmente quando furono a Roma, Orazio Costa mi telefonò per dirmi che era arrivato questo regista che lui apprezzava e che mi raccomandava per trovargli un lavoro. Io allora facevo il produttore in televisione e ne parlai con Fabio, il mio vicedirettore. Demmo appuntamento a Bollini per il giorno seguente. A farla breve Bollini ci fece un'ottima impressione come professionista e ci sembrò anche un uomo di straordinaria simpatia. Diventammo amici, Flem cominciò a lavorare alla radio e alla televisione e questo gli permise di mantenere Diane all'altezza delle sue abitudini piuttosto costose. Trascorso un anno Flem cominciò a confidare a me e a Fabio che le cose tra lui e Diane non andavano nel migliore dei modi, Diane voleva una casa lussuosa dove poter dare dei ricevimenti fastosi. Le tre stanzette nelle quali abitava con Flem le stavano troppo strette ma lui non aveva il denaro necessario per soddisfare queste nuove esigenze. Nei mesi seguenti la crisi della coppia si fece sempre più acuta. Nel frattempo io partii per due mesi per andare a fare una regia a Torino. Il pomeriggio stesso del mio rientro a Roma mia moglie mi disse che Flem aveva telefonato tre volte e che voleva vedermi subito.

«Aveva una voce strana, faresti bene a chiamarlo.»

Ma io ero troppo stanco così andai a cena e poco dopo mi misi a letto.

Verso la mezzanotte squillò il telefono, mia moglie andò a rispondere: era Fabio che chiedeva di me. Intontito mi alzai e presi la cornetta, Fabio senza darmi nessuna spiegazione mi disse di raggiungerlo immediatamente in casa di Bollini. Doveva trattarsi di qualcosa di grave, così mi vestii alla meno peggio e mi precipitai con un taxi. Trovai una situazione preoccupante: Bollini si rotolava per terra, invano trattenuto da Fabio mentre un comune amico, il regista Luciano Mondolfo, indossata una parannanza se ne stava davanti alla cucina a gas per preparare una camomilla tripla.

«Ma che succede?» domandai.

«Succede che Diane ha lasciato Flem e lui l'ha presa molto male.»

In due riuscimmo finalmente a bloccarlo, lo portammo sul letto, lo spogliammo con molta fatica e gli rimboccammo le coperte, intanto Luciano gli aveva fatto bere con le buone e con le cattive la camomilla. Flem sembrò calmarsi un poco, ma mentre stava per pigliare sonno balzò su dal letto in piedi e riprese a fare ciò che pareva procurargli un certo piacere: rotolarsi per terra.

Non restava che chiamare un medico. Questi praticò un'iniezione calmante a Flem che finalmente sembrò assopirsi. Certamente non poteva essere lasciato solo, stabilimmo dei turni di guardia per le successive ventiquattro ore. Quando il giorno appresso toccò il mio turno trovai Flem seduto a metà del letto con tre cuscini dietro la schiena, non parlava, aveva un'espressione ebete, gli occhi sgranati e le pupille che gli giravano esattamente come a Paperon de' Paperoni quando guarda un mucchio di dollari. Nei giorni seguenti la situazione peggiorò, Flem si rifiutava di mangiare, si rifiutava di bere, era diventato un corpo inerte. Chiamammo uno specialista, questi dopo una lunga visita a Flem ci consigliò di ricoverarlo in una casa di cura per malati mentali che si trovava dalle parti di ponte Milvio. Luciano, Fabio e io preparammo una valigia, lavammo e rivestimmo Flem e lo portammo in questa clinica. Andavamo ogni giorno a trovarlo per passare qualche ora con lui ma Flem non reagiva in nessun modo alla nostra presenza, era come se non ci fossimo. Dopo una settimana parlammo col primario: egli ci disse che oggettivamente la situazione del nostro amico era alquanto grave. Avevano provato a tirarlo su con tutti i mezzi a loro disposizione ma non ci erano riusciti, stavano considerando addirittura l'eventualità di un elettroshock per il giorno seguente. A questa parola reagimmo contemporaneamente noi tre.

«Aspettiamo ancora un attimo.»

«Va bene» acconsentì il primario.

Usciti dalla clinica andammo in un caffè nelle vicinanze, eravamo avviliti e preoccupati, fu allora che a Fabio tornò in mente che Flem in Svizzera aveva ripreso i contatti con un suo lontano parente che era considerato in Europa come un luminare della psichiatria, si chiamava Renzo Cerri. Pensammo che informarlo della situazione di Flem sarebbe stato forse utile. Ci recammo in casa di Flem, Fabio trovò il numero di telefono del luminare che stava a Lugano e senza perdere tempo gli telefonò. Il dottor Cerri ascoltò e chiese che fosse richiamato dopo un quarto d'ora. Alla seconda telefonata fu di brevissime parole:

«Arrivo domattina alle dieci e trenta all'aeroporto di Ciampino [allora Fiumicino non esisteva ancora], venite a prendermi, ho l'aereo di ritorno alle tre del pomeriggio».

Ne fummo tutti sollevati, la visita di un luminare quale il professor Cerri sarebbe stata certamente di grande aiuto per risolvere la questione. Cerri aveva detto che si sarebbe direttamente recato all'ufficio passaporti dove avremmo potuto incontrarci. Dato che Fabio era impegnato in televisione a ricevere il dottore andai io solo e mi trovai davanti a un cinquantenne elegantissimo, alto, lo sguardo severo. Prendemmo un taxi e io azzardai:

«Professore, se vuole che le racconti come...».

Mi interruppe.

«No, guardi, preferisco che sia Flem a raccontarmi tutto.»

Per il resto del tragitto non parlammo più.

Arrivati alla clinica andammo direttamente nella stanza di Flem, il mio amico era nella posizione ormai abituale, seduto a metà del letto con tre cuscini dietro la schiena, solo che teneva gli occhi chiusi.

«Io aspetto fuori» dissi al professore.

«No» ribatté lui, «resti pure.»

Mentre il professor Cerri si dirigeva verso il letto io mi accomodai su una sedia un po' distante, Cerri si sedette sul letto all'altezza delle ginocchia di Flem poi allungò un braccio, gli diede un buffetto su una guancia:

«Flem, guardami, sono io, il tuo amico Renzo, Renzo Cerri».

Aveva una voce calda, persuasiva, lentamente Flem aprì gli occhi, per un attimo si guardò attorno smarrito poi mise a fuoco la faccia di chi gli stava davanti. Un impercettibile cambiamento avvenne nella sua espressione, era come se tornasse da una lunga assenza. A un certo momento accennò un mezzo sorriso, Cerri continuava a carezzargli la guancia.

«Ciao» disse debolmente Flem.

«Ciao» rispose il professore.

Allora due lacrime sgorgarono improvvise dagli occhi di Flem, gli rigarono il volto, allungò una mano tremante, la poggiò su quella del professore, respirò profondamente e sembrò rilassarsi. Il professore continuava a carezzarlo, Flem riaprì gli occhi e questa volta il suo sorriso fu più aperto, il professore smise di carezzarlo, gli posò la mano sopra un ginocchio.

«Flem caro» disse, «te la senti di raccontarmi come è andata?»

Flem aprì la bocca e cominciò a parlare... a parlare... a parlare. Un fiume inarrestabile, un sussurro continuo. Raccontò, con la voce che gli si spezzava a tratti, che a volte diventava quasi impercettibile, la storia del suo amore con Diane, disse che mai avrebbe potuto immaginare che un giorno lei l'avrebbe lasciato e che non reggeva all'idea di averla perduta per sempre. Fu un discorso straziante che il professore non interruppe mai, il discorso di Flem si concluse con una domanda dolente e disperata.

«Renzo, aiutami tu, dimmi che devo fare. Che devo fare? Che devo fare...?»

Il professore restò per un po' in silenzio mentre ormai la domanda di Flem era diventata una litania.

«Che devo fare? Che devo fare? Che devo fare...?»

Lentamente il professore si chinò verso di lui, la sua mano dalle ginocchia si posò sopra una spalla di Flem.

«C'è una sola cosa che puoi fare, Flem.»

Flem si aggrappò come un naufrago a quelle parole.

«Dimmelo, dimmelo, che devo fare?»

Il professore lo guardò negli occhi, era serissimo.

«Fatti una bella, lunga sega.»

E ciò detto, mentre Bollini restava esterrefatto, Cerri si alzò dal letto e si rivolse a me:

«Mi riaccompagni all'aeroporto».

Diede un nuovo buffetto sulla guancia di Flem che era immobile come una statua e uscimmo dalla stanza.

Durante il viaggio di ritorno non scambiammo parola, salutai il professore all'aeroporto e me ne tornai con lo stesso taxi di corsa in clinica. Quando aprii la porta della sua stanza Flem si era alzato dal letto, ora stava seduto sul bordo con la testa tra le mani, credetti stesse piangendo, le sue spalle sussultavano forse per i singhiozzi. Sentendomi entrare alzò la testa e allora con sommo stupore vidi che stava ridendo.

«Che matto che è Renzo!» mi disse.

Era completamente guarito, la cura dell'esimio psichiatra era stata perfetta ma ora per me sorgeva un problema: cosa avrei potuto raccontare al primario della clinica se mi avesse domandato quale parere aveva espresso l'eminente psichiatra?

Olimpia Zagnoli

La montagna e io

Sono nato in un paese che si trova a un metro e mezzo sul livello del mare, sin da piccolo e fino ai vent'anni mi sono addormentato cullato dal rumore della risacca notturna, alle scuole elementari i miei compagni erano in gran maggioranza figli di pescatori (la minoranza era costituita da figli di carrettieri), alle adunate fasciste indossavo la divisa di marinaretto, casa mia era frequentata da ufficiali della Marina Militare o della Marina Mercantile che mi raccontavano storie di mare bellissime e affascinanti. Da giovane il mio sogno era di andare all'Accademia Navale di Livorno e diventare un ufficiale di Marina ma il sogno venne presto spezzato dall'arrivo di una forte miopia. Questo per dire che non sono uomo di montagna, l'altezza massima che mi è consentita è di mille metri; infatti da oltre quarant'anni ho una casa alle pendici dell'Amiata che si trova a 850 metri sul livello del mare. Se supero i mille il mio carattere subisce un radicale mutamento, divento scorbutico, di poche parole, facile alla depressione. Perciò sia da scapolo che da sposato ho trascorso le vacanze estive in paesi di mare ma un giorno mia moglie si fece promettere solennemente che l'anno seguente saremmo andati a trascorrere le vacanze in montagna. Montagna che, al contrario di me, lei amava moltissimo. Non seppi dirle di no, dopo qualche mese mi comunicò che assieme a Teresa, moglie del mio fraterno amico Mario, avevano scelto il paesotto nel quale andare.

«Dove si trova?» domandai.

«Nell'Alto Trentino» mi rispose, «a 1500 metri d'altezza.»

Mi sentii gelare ma non dissi nulla.

Al momento della partenza trovai una scusa di lavoro sicché mia moglie se ne dovette partire da sola con le tre bambine piccolissime. Fortunatamente avrebbe fatto il viaggio assieme a Teresa e a Mario. In realtà io non avevo nessun impegno di lavoro e perciò per una settimana me ne andai a fare i bagni a Fregene. Ogni giorno Rosetta mi telefonava per sollecitare la mia partenza e io mentivo spudoratamente adducendo sempre più gravosi impegni. Poi ebbi un rimorso di coscienza e le promisi che entro due giorni sarei partito. Mi misi in treno in tenuta, diciamo così, estiva: camicia con maniche corte, pantaloni leggerissimi, sandali. Avevo portato con me una piccola valigia piena solo di mutande e calzini. Il viaggio fu interminabile, a un certo punto, proprio a una quarantina di chilometri dal paese, non ressi più al ritmo lento del treno, scesi e presi un taxi. Chissà perché mi feci lasciare sulla piazzetta del paese. Imbruniva, sugli scalini di una chiesa un prete dirigeva un gruppo di ragazzi che intonavano canti di montagna, sulla sinistra si esibiva, davanti a uno scarso pubblico, un ingoiatore di rane. La visione dell'insieme mi fece cadere di colpo in un abisso di tristezza, mi sedetti su una panchina e mi vennero le lacrime agli occhi. Dopo un poco mi feci forza e raggiunsi l'albergo dove alloggiava la mia famiglia. Diedi al portiere la mia carta d'identità, egli la prese ma appena lesse il mio nome mi guardò con un'espressione ammirata negli occhi.

«Ma lei è il Camilleri, Camilleri?» mi domandò.

A quel tempo io non ero assolutamente noto né come regista né come romanziere, non capii la domanda.

«Ma lei perché mi chiede se sono Camilleri, Camilleri?»

«Perché Andrea Camilleri è un rocciatore famosissimo da queste parti, un grande maestro di roccia.»

«È da escludere che sia io» risposi.

I primi due giorni furono terribili, camminavo a occhi bassi perché il paese era completamente circondato da montagne altissime che quasi quasi ti toglievano la vista del cielo. La notte dormivo malissimo e la tentazione di fuggirmene si faceva sempre più forte a ogni ora che passava, neanche la conversazione intelligente, vivace, brillante del mio amico Mario riusciva a tirarmi su. L'antidoto lo scopersi per caso una sera che entrai da solo in un bar.

Mi ero seduto sconsolato a un tavolino e il cameriere mi si avvicinò per chiedermi che cosa volessi, non so perché mi venne da ordinare una grappa, la bevvi. Me ne feci venire una seconda. Una terza. Una quarta. Cominciai a sentirmi subito meglio, il panorama intorno a me si fece meno pesante, mi accorsi, addirittura, che tornando verso l'albergo canticchiavo. Quella notte dormii bene. L'indomani mattina appena alzato scesi al bar dell'albergo e ordinai un'intera bottiglia di grappa, poi uscii e in un negozio comprai una borraccia di tipo militare e vi travasai il contenuto della bottiglia. Ne consumavo una al giorno. Una sera, del tutto casualmente, qualcuno disse il nome della montagna che era più vicina al paese, mi ricordò qualcosa che non seppi sul momento individuare ma poi, a letto prima d'addormentarmi, mi venne in mente che quel nome mi era stato fatto da papà quando mi raccontava della guerra '15-'18 alla quale aveva partecipato come ufficiale della Brigata Sassari: quindi mio padre aveva combattuto su quella montagna!

Mi sentii in dovere di rendergli omaggio. Mi svegliai che non erano ancora le 7 del mattino, dissi a mia moglie che avrei fatto un'escursione in quella montagna e uscii dall'albergo. La montagna, a vederla dal paese, sembrava vicinissima ma in realtà impiegai più di un'ora per arrivare alla sua base, da lì mi resi conto che la montagna era fino ad un certo punto completamente coperta da una sorta di foresta d'alberi, poi gli alberi terminavano con una piccola radura e da lì si partivano, altissime e dritte come colonne, le rocce. Non individuai un sentiero per attraversare quel bosco perciò mi ci addentrai all'avventura, a un certo momento mi accorsi che i tronchi di alcuni alberi erano segnati da delle x a due colori, alcune x erano rosse e altre erano

gialle, forse indicavano le direzioni di salita e di discesa. Scelsi a caso di seguire la traccia segnata dai tronchi
con la x rossa, cominciai a salire, più che un camminare era letteralmente un inerpicarsi e io ogni tanto mi
fermavo, aprivo la borraccia e tiravo una lunga sorsata
che mi dava forza e vigore. Andai avanti così non so
per quanto tempo non sentendomi per niente stanco,
quando arrivai alla fine del bosco e mi trovai sulla radura le forze mi vennero a mancare di colpo e mi sedetti per terra, guardai l'orologio e non credetti ai miei occhi: avevo camminato per quattro ore di seguito, erano
le 11.15 del mattino! Per riprendermi dalla sorpresa
bevvi una lunga sorsata, sono un fumatore accanito,
ero ben fornito di sigarette ma quell'aria così fresca e
così frizzante mi fece passare la voglia di accenderme-
ne una, poi, vuoi per la fatica, vuoi per la grappa, mi
calò un sonno improvviso, mi ci abbandonai. Quando
mi risvegliai era quasi l'una, mi resi conto che avevo
fatto tardi e che non sarei mai riuscito a tornare per
le 13 che era l'ora del pranzo, bisognava ridiscendere
subito. Guardai sotto di me verso la valle e capii, con
un misto di sgomento e stupore, che quello che vedevo
non era il paese dove c'era il mio albergo, la piazza era
completamente diversa, come mai? Ci ragionai sopra e

arrivai alla conclusione che durante la salita non avevo proceduto in linea retta, dovevo in realtà avere deviato verso sinistra o verso destra e quindi non sapevo dove mi trovavo. L'unica era di spostarmi lungo la radura fino a quando avessi dall'alto individuato il mio paese: dovetti compiere mezzo giro e finalmente vidi la piazza conosciuta. Dall'alto tracciai un percorso ideale di discesa e mi avviai. La discesa mi si rivelò subito assai più difficile a farsi della salita, frequentemente incespicavo e dovevo aggrapparmi a qualche albero per non cadere, uscii dal bosco dopo un tempo che mi parve lunghissimo, guardai l'orologio: erano quasi le 16 e oltretutto la borraccia era ormai vuota. Mi incamminai verso il paese, quando arrivai in piazza vidi venirmi incontro uno strano gruppo formato da mia moglie e da tre alpinisti in gran tenuta, vale a dire scarponi, calzettoni, piccozze, corde. Appena mi scorse mia moglie mi venne incontro piangendo e gridando e mi abbracciò forte.

«Stavamo venendoti a cercare con quelli del soccorso.»

Mi si avvicinò uno dei tre, era un quarantenne dalla faccia cotta dal sole, magro, un vero montanaro, mi guardò con estrema severità e fece:

«E dire che lei si chiama Andrea Camilleri come il
nostro grande rocciatore. Come ha fatto a commettere
una fesseria simile? Si vede che non sa nulla della montagna. Lei ha fatto una cosa estremamente azzardata e
pericolosa, se per caso si procurava una storta sarebbe
rimasto lì chissà per quanto tempo prima che noi po-
tessimo trovarla».

Insomma, mi rifilò un lungo rimprovero alla fine
del quale non potei fare altro che domandargli scusa e
giurargli che non l'avrei fatto mai più e infatti da quel
momento non tentai nessun'altra escursione, rimasi,
annoiandomi a morte, in albergo e bevendo grappa a
più non posso.

Alla fine venne l'ora della partenza, scesi a salda-
re il conto, eravamo stati a mangiare e a dormire in
quell'albergo in cinque per venti giorni, il conto che mi
venne presentato mi parve veramente irrisorio. Pagai e
il portiere aggiunse:

«Poi, signor Camilleri, ci sarebbe da pagare la
grappa».

«Quanto devo?» domandai.

La cifra che mi disse era esattamente il doppio del
conto già pagato. Mi ero bevuto, insomma, tutta la
grappa dell'Alto Trentino.

Due anni dopo mia moglie mi ripropose un'altra vacanza in montagna ma questa seconda volta andò assai meglio della prima, la grappa infatti cominciai a berla fin dalla partenza da Roma.

Il commissario Camilleri

La mattina del 12 aprile 1928, a Milano, una gran folla si è riunita in piazza Giulio Cesare per assistere all'arrivo del Re Vittorio Emanuele III che è venuto nel capoluogo lombardo per inaugurarvi l'VIII Fiera Campionaria. Pochi minuti prima dell'arrivo del Corteo Reale esplode una bomba piazzata nel basamento in ghisa di un fanale. Il basamento va in mille pezzi e le schegge uccidono venti persone e ne feriscono quaranta, quattordici presenti moriranno subito, altri sei nei giorni successivi moriranno in ospedale per le ferite ricevute. La prima indagine sull'esplosione viene affidata a un Colonnello dei carabinieri molto esperto in esplosivi e balistica il quale in poche ore arriva alla conclusione che la bomba è stata fabbricata con un esatto dosaggio di esplosivo e che è stata azionata da un timer, la sua convinzione è che l'attentato non sia opera di dilettanti ma di gente molto esperta di esplosivi. Un telegramma di Mussolini incarica delle indagini sugli autori il capo manipolo della Milizia Ferroviaria di Milano, che in precedenza aveva sventato un attentato contro un treno speciale sul quale viaggiava lo stesso Mussolini. Nel telegramma Mussolini comunica la sua certezza che gli autori dell'attentato siano da ricercarsi tra gli elementi ostili al fascismo, soprattutto tra gli ex comunisti e gli anarchici. Parallelamente anche la Questura di Milano comincia a indagare. Nello stesso giorno si sparge la voce che prima dell'attentato di piazza Giulio Cesare, nella caserma Carroccio della MVSN (Milizia Volontaria per la Sicurezza Nazionale) sia successo un curioso e grave incidente: che una pallottola partita casualmente dal moschetto di un milite abbia ucciso due commilitoni e ne abbia ferito seriamente altri tre. Un po' troppo per una sola pallottola! E questo fa nascere il sospetto che in realtà si sia trattato di una sparatoria avvenuta all'interno della caserma proprio a causa dell'attentato che da lì a poco sarebbe avvenuto. Sono semplici voci ma la Questura di Milano, su suggerimento del commissario Carmelo Camilleri che da poco ha preso servizio in quella sede, opera una perquisizione nel circolo Oberdan al quale appartengono i fascisti più facinorosi e repubblicani di Milano e il cui nume ispiratore è proprio il federale fascista Mario Giampaoli. Quindi si apre quasi da subito la possibilità che le piste da seguire siano due: una, quella rossa, fatta da elementi comunisti e anarchici e l'altra, quella nera, fatta da fascisti dissidenti e repubblicani. Ma c'è poco da fare, gli ordini di Mussolini sono chiari e quindi la Questura di Milano deve agire quasi in sordina. Le prime indagini svolte dalla MVSN portano all'arresto di circa quattrocento persone, tutte rilasciate quasi subito perché risultanti completamente estranee al fatto, però i militi si prendono la rivincita. A Como arrestano il comunista Romolo Tranquilli e gli trovano in tasca, mal disegnata, la piantina di una piazza che i fascisti troppo facilmente individuano essere proprio piazza Giulio Cesare. Romolo Tranquilli viene arrestato e selvaggiamente torturato per fargli rivelare i nomi dei complici ma Tranquilli si difende disperatamente dicendo che al momento dell'attentato non si trovava in Italia e può dimostrarlo con un biglietto ferroviario. I fascisti però non lasciano la presa, Romolo Tranquilli oltretutto ha un fratello di nome Secondino che è un altissimo dirigente del Partito Comunista in clandestinità. Tanto per la cronaca: Secondino Tranquilli anni dopo abbandonerà il partito e diventerà uno scrittore mondialmente conosciuto con lo pseudonimo di Ignazio Silone. Con Tranquilli vengono arrestati altri cinque tra comunisti e anarchici ma il commissario Camilleri continua testardamente a seguire la pista nera e smonta l'accusa a Tranquilli dimostrando come la piantina rinvenutagli in tasca sia non di piazza Giulio Cesare a Milano ma di un'altra piazza di Como dove il Tranquilli avrebbe dovuto incontrare un compagno che non conosceva di persona.

Qui spendo qualche parola per illustrare la figura del commissario Carmelo Camilleri che era un cugino di mio padre e che io chiamavo zio Carmelo. Laureatosi in legge, aveva fatto un concorso per entrare nella Pubblica Sicurezza e l'aveva vinto, col grado di commissario, era stato mandato in Puglia. Era un fervente fascista e lì si era distinto per avere arrestato numerosi comunisti che ancora aderivano a un partito ufficialmente disciolto dal fascismo. Usava metodi brutali e violenti per cui ebbe a subire qualche richiamo dai suoi superiori, era avviato a una brillante carriera quando a un certo punto la morte improvvisa di sua figlia lo ridusse a uno stato tale da fargli perdere ogni interesse. Diventò quasi un peso per la polizia, tanto da subire tre trasferimenti in tre anni ma l'attentato alla Fiera lo fece ritornare l'acuto investigatore che era sempre stato. Continuando nelle sue quasi segrete indagini sulla pista nera, con l'aiuto di un maresciallo dei carabinieri e di due informatori sicuri, riuscì ad avere le prove che, a organizzare l'attentato erano stati i fascisti del circolo Oberdan in combutta con quelli della caserma Carroccio e che i cinque feriti di questa caserma non erano stati provocati da un colpo di moschetto ma bensì dallo scoppio della rimanenza dell'esplosivo usato per confezionare la bomba. Egli scrisse un lungo rapporto al capo della polizia Bocchini allegando prove e documenti, intanto il Tribunale Speciale istituito dal fascismo processava e condannava a morte per fucilazione i sei già arrestati. Bocchini non poté fare altro che consegnare il rapporto del commissario Camilleri a Mussolini, egli lo lesse attentamente e poi scrisse a margine: "Liquidate Camilleri" e lo siglò con la sua ben nota "M". Camilleri venne immediatamente costretto dal Questore di Milano a dimettersi dalla polizia, egli allora andò a lavorare nello studio di uno dei difensori dei sei imputati ma non sopportava l'idea che sei innocenti, sia pure appartenenti a quel Partito Comunista che egli detestava, venissero fucilati e che i veri autori della strage restassero impuniti. Allora compì un atto temerario: riuscì a fare arrivare al giornale comunista francese "L'Humanité" la sua relazione con allegati gli atti probatori, la pubblicazione di questi scritti ebbe subito una grande ripercussione, anche altri giornali stranieri li pubblicarono e Mussolini venne messo alle strette tanto che la pena di morte fu, per suo ordine, tramutata in ergastolo. Però nel frattempo Romolo Tranquilli moriva per le sevizie riportate in carcere. Ci volle poco alla polizia milanese per scoprire che a mandare quelle carte all'estero era stato l'ex commissario Camilleri, perciò egli venne arrestato e dopo aver subìto un rapido processo davanti al Tribunale Speciale per la Difesa dello Stato venne condannato a cinque anni di confino. Qui si legò d'amicizia con un importante esponente del Partito Comunista quale Umberto Terracini. Al termine della pena, tornato a Roma dove abitava, non riuscì a trovare nessun lavoro. Tutte le porte gli venivano sbarrate, per sopravvivere fece i più umili e vari mestieri, tra l'altro per qualche tempo sopravvisse vendendo sputacchiere.

Nel dopoguerra ottenne la riabilitazione, fu reintegrato nella polizia col grado di vicequestore e gli vennero riconosciuti tutti gli arretrati ma egli preferì chiedere il pensionamento e venne nominato alto commissario per le carceri e i rifugiati politici.

A zio Carmelo ho voluto molto bene, per mesi sono stato ospite suo a Roma e a lungo mi parlò della sua rabbia di quei giorni milanesi quando vedeva i colpevoli girare impuniti per le strade e gli innocenti in carcere destinati alla morte. Ancora, a distanza di anni, quando tornava sull'argomento le lacrime gli colavano dagli occhi. Mi disse che era stato il periodo peggiore della sua vita, peggiore anche a quello che trascorse per la morte della figlia che adorava. Perché ne ho voluto qui ricordare la figura? Perché egli è stato sicuramente e anche inconsciamente l'ispiratore del mio commissario Montalbano, un uomo che per la ricerca della verità mette in gioco tutto se stesso.

La Bellezza intravista

A separare il territorio del mio paese Porto Empedocle con quello del capoluogo Agrigento c'è una lunga collina che si chiama Monserrato. Quando da ragazzo andavo nella campagna dei nonni, col binocolo avevo avuto modo di vedere come proprio nella parte che più si addentrava nel retroterra sorgesse un gruppo di case. Domandai a mio zio chi ci abitasse, mi rispose che ci stavano due famiglie: i Musumarra e i Condino, aggiunse che si trattava di gente scontrosa che non dava confidenza a nessuno e che viveva vendendo i prodotti della loro terra al mercato del paese. Mi disse anche che gli estranei non erano graditi al punto tale che se qualcuno si ammalava non chiamavano il medico ma il malato veniva trasportato in paese a dorso di mulo. Queste notizie provocarono in me una fortissima curiosità. Una mattina, potevo avere allora quattordici anni, mi avviai da solo verso quelle case lontane. Ci impiegai due ore ma quando arrivai davanti a un alto muro che circondava il complesso composto da tre fabbricati venni fermato da due cani di una razza che mai avevo visto prima, erano eleganti come levrieri ma avevano una coda sottile attorcigliata su se stessa, doveva essere lunghissima, i due cani mi paralizzarono bloccandomi uno davanti e uno dietro, e appena tentavo di fare un passo, ringhiavano e mostravano minacciosamente i denti. Cominciai a chiamare aiuto terrorizzato, da un varco che c'era nel muro uscì un anziano contadino che richiamò i cani senza degnarmi di uno sguardo, io voltai le spalle e mi misi a correre ancora spaventato verso casa.

La seconda volta che ci andai fu nell'ottobre del '43 dopo lo sbarco degli americani. Con l'esercito americano era venuto a Porto Empedocle anche uno scrittore siculo-statunitense che si chiamava Jerre Mangione, era originario di Montallegro. Stringemmo una forte amicizia e un giorno che mi venne a trovare in campagna, gli proposi di raggiungere Monserrato. Ci andammo, questa volta non venimmo fermati dai cani, riuscimmo a entrare nel grande cortile attorno al quale sorgevano i tre grossi fabbricati, ci vennero incontro due uomini, dicemmo loro che avevamo fatto una passeggiata e che volevamo ristorarci e se potevano darci un po' d'acqua. Invece ci fecero entrare in casa e ci offrirono del vino freschissimo poi si scusarono perché dovevano portare in paese da un medico una loro sorella che stava molto male.

Jerre disse loro che sarebbe stato disposto ad accompagnarli all'ospedale militare e loro accettarono. Mentre la malata si preparava, uno dei due ci disse:

«Vi voglio far vedere una scoperta che abbiamo fatto l'altro giorno».

Ci guidò nell'altro fabbricato, ci trovammo dentro uno stanzone di circa dieci metri per quattro, nudo, spoglio che doveva essere servito come stalla per i cavalli e infatti l'uomo ci spiegò che una settimana prima, quando il locale era ancora un stalla, un cavallo improvvisamente imbizzarrito arretrando aveva urtato con violenza il posteriore contro un muro e che il muro se ne era venuto giù scoprendo un'altra parete che mostrava un affresco, forse il muro caduto era stato eretto chissà quando a protezione del dipinto. Lo guardammo quell'affresco e restammo incantati, era grande sei metri per quattro circa, a sinistra faceva da quinta una parete rocciosa dalla quale sporgeva un largo sperone, su questo sperone stavano due monaci, uno anziano e uno più giovane, c'era anche uno di quegli strani cani, l'anziano col braccio teso indicava il paesaggio, proprio quello che si vedeva dall'alto della collina di Monserrato. Il cielo era di un azzurro intenso, solo nella parte di destra c'erano alcune nuvolette bianche, poi si vedevano i campi seminati e lontane le sagome di quattro paesi tra i quali Agrigento: lo stesso identico paesaggio, torno a ripetere, che si vedeva nella realtà. Dava un senso di ampiezza, di grandezza e nello stesso tempo di serenità. Le pennellate erano tracciate con mano sicura, di certo chi aveva fatto quell'affresco non era un dilettante o un naïf, era chiaramente uno del mestiere, uno dell'arte, un pittore di certo. In basso a destra non c'era la firma ma solo una data in numeri romani: MCDXX. Era difficile staccare gli occhi da quell'affresco, aveva il fascino segreto proprio delle opere d'arte, non riuscimmo a trattenere l'entusiasmo. Allora, invogliato, il contadino ci portò a vedere un'altra meraviglia. Uscimmo fuori dalla zona dei caseggiati, prendemmo uno stretto viottolo a strapiombo e penetrammo in una grotta, era piena d'acqua ma c'era come una sottile passerella di roccia che permetteva di penetrare in una seconda grotta dove era acceso un lume a petrolio che ci consentì di distinguere una sorta di altare di roccia, sopra il quale era posta una scultura che rappresentava la Madonna col bambino Gesù in braccio. Era una scultura di legno dipinta anch'essa, aveva la stessa intensità e la stessa magia dell'affresco. Tornammo fuori a malincuore, la ragazza intanto era pronta e scendemmo verso il paese. Jerre, quando arrivammo davanti alla grande tenda che era l'ospedale militare, parlò con un tenente e subito due infermieri presero la ragazza con una barella e la portarono dentro, noi restammo fuori ad aspettare. Dopo un'ora uscì un ufficiale medico che parlò con Jerre, il quale ci spiegò che la ragazza sarebbe stata trattenuta per qualche giorno nel reparto femminile e che sicuramente con qualche iniezione di una nuova medicina che si chiamava penicillina, allora da noi assolutamente sconosciuta, se la sarebbe cavata. Aggiunse che i suoi fratelli potevano tornare a visitarla ogni giorno. Dopo circa un mese, proprio il giorno avanti che Jerre ripartisse per gli Stati Uniti, si presentò uno dei fratelli, veniva a ringraziarci perché sua sorella ormai era fuori pericolo ed era entrata in convalescenza.

Tanti anni dopo, parlai di questo affresco al mio amico scultore e grande artista Angelo Canevari.

«Vorrei dargli un'occhiata» fu il suo commento.

Organizzammo subito una partenza per la Sicilia accompagnati dalle rispettive mogli. Angelo mi aveva spiegato che l'affresco lo si poteva rimuovere e trasportare su tela con accorgimenti particolari che egli conosceva. Forse quell'affresco avremmo potuto comprarlo e portarcelo a Roma. Arrivammo a Porto Empedocle e il giorno appresso ci trasferimmo nella casa di campagna che sarebbe stata la nostra base. Appena possibile andammo a Monserrato, venimmo accolti da uno dei due fratelli che avevo conosciuto, era molto invecchiato, mi disse che l'altro fratello era morto. Gli spiegai che ero lì per far vedere al mio amico tanto l'affresco quanto la Madonna, ci guardò sconsolato e disse solo:

«Venite con me».

Lo seguimmo. Andammo nell'altro fabbricato, lo stanzone era stato completamente rinnovato, l'affresco non c'era più.

«E dove è finito?» domandai costernato.

«Due anni fa qui c'è stata una passata» rispose proprio così «di terremoto, il caseggiato è venuto giù.»

Aprì uno di quattro grossi sacchi che c'erano in un angolo, ne trasse una pietruzza che da un lato era colorata di un azzurro intenso.

«Tutto l'affresco si è ridotto così» disse porgendomi la pietruzza.

«E la Madonna?» domandai.

«Le grotte sono sprofondate, non esiste più nulla.»

Era l'ora di pranzo, ci invitò a restare a mangiare ma noi rifiutammo, l'appetito ci era del tutto passato. Ce ne ritornammo avviliti verso la casa dei nonni, io ogni tanto mettevo la mano in tasca e carezzavo la pietruzza colorata, che era il segno tangibile che una volta mi era stata concessa la grazia di intravedere la Bellezza.

Indice